Berit Degnæs

Ein Jahr wie tausend Tage

Berit Degnæs

Ein Jahr wie tausend Tage

Ein Leben mit Alzheimer

Mit einem Vorwort von
Heike von Lützau-Hohlbein

Aus dem Norwegischen von
Christiane Hahn von Dorsche

Walter

Titel der norwegischen Originalausgabe:
Året med tusen dager

Bibliografische Information der Deutschen Bibliothek

Die Deutsche Bibliothek verzeichnet diese Publikation in der Deutschen Nationalbibliografie; detaillierte bibliografische Daten sind im Internet über http://dnb.ddb.de abrufbar.

Druck und Bindung: Clausen & Bosse, Leck
ISBN 3-530-42201-0
www.patmos.de

Dieses Buch widme ich Richardt.
Er wurde 55 Jahre alt.

Wenn der Wind mit den gefrorenen Grashalmen spielt,
friere ich

Wenn das Meer die schroffen Klippen umspült,
erinnere ich mich

Wenn die Vögel in den Baumwipfeln singen,
sehne ich mich

Wenn die Sonne am wolkenlosen Himmel scheint,
wärmt sie mich

Wenn der Mond in der dunklen Nacht lächelt,
vermisse ich
dich

MERIETTE SOLL SKRIDSHOL
(aus: Håp Savn Stillhet – Orion Forlag 2001)

INHALT

VORWORT

Dieses Buch erzählt die Geschichte von Richardt, bei dem im Alter von 52 Jahren die Diagnose »Alzheimer« gestellt wurde, und seiner Partnerin Berit. Es beschreibt, wie viel Mut nötig ist, sich mit dieser Krankheit auseinander zu setzen, und mit welchen Schwierigkeiten man dabei konfrontiert wird. Auf sehr persönliche Weise berichtet Berit Degnæs von der schnell fortschreitenden Erkrankung ihres Lebensgefährten und den Folgen: vom ersten undeutlichen Gefühl, »dass etwas nicht in Ordnung ist«, bis hin zur letzten Phase im Pflegeheim, in dem Richardt im Alter von 55 Jahren stirbt.

Ein Jahr wie tausend Tage ist ein Erfahrungsbericht aus Norwegen, doch aus vielen Gesprächen mit Betroffenen und ihren Angehörigen weiß ich, dass es ähnliche Erfahrungen auch bei uns gibt. In Deutschland leben etwa eine Million Menschen, die von einer demenziellen Erkrankung betroffen sind. Die häufigste Form der Demenz (Hirnleistungsschwäche) ist die nach dem deutschen Psychiater Alois Alzheimer benannte Alzheimer-Krankheit, die zum Absterben von Nervenzellen führt, wodurch die Gehirnfunktion mehr und mehr beeinträchtigt ist. Im Verlauf der Krankheit wird es für die Betroffenen immer schwieriger, sich etwas zu merken und sich räumlich und zeitlich zu orientieren, weshalb sie sehr bald weitgehend auf fremde Hilfe angewiesen sind.

Die Alzheimer-Krankheit tritt überwiegend im höheren Lebensalter auf: 21 % der 85- bis 89-Jährigen sind von ihr betroffen, dagegen nur 1,4 % der 65- bis 69-Jährigen. Dieses Buch beschreibt den relativ seltenen Fall der Erkrankung eines unter 60-jährigen Menschen und macht dabei deutlich, wie schwierig sich die Situation gerade für jüngere Kranke und ihre Familien darstellt: Richardt ist berufstätig, er hat finanzielle Verpflichtungen und möchte sich mit seiner Partnerin eine gemeinsame Zukunft aufbauen. Doch durch die Diagnose wird alles anders, alle Pläne müssen aufgegeben werden. Später zeigt sich dann auch, dass es für jüngere Kranke nur wenig Hilfe und Unterstützung gibt – die meisten an Demenz erkrankten Menschen in Tagestätten und Heimen sind älter als 80 Jahre.

Wie Berit Degnæs beschreibt, gab es bereits in der Zeit vor der Diagnose viele Anzeichen dafür, dass mit Richardt etwas nicht stimmte, dass er sich ungewöhnlich verhielt. Dies fiel sowohl der Familie auf als auch den Arbeitskolleginnen und -kollegen, doch niemand wusste, was diese Anzeichen bedeuteten. Auch die Ärzte waren ratlos, denn körperlich schien alles in Ordnung zu sein. War es vielleicht einfach nur zu viel Stress?

Kranke und ihre Familien erleben häufig eine längere Phase der Unsicherheit und Ratlosigkeit, und viele Ärzte wissen die Anfangssymptome von Alzheimer oft nicht zu deuten. Sie führen sie auf »das Alter« zurück, auf die Lebenssituation, oder sie empfehlen einfach nur Entspannung. Aus diesem Grund betont die Deutsche Alzheimer Gesellschaft ausdrücklich die Bedeutung einer sorgfältigen Untersuchung und frühzeitigen Diagnose. Bei den ersten Anzeichen dafür, dass mit dem Gedächtnis »etwas nicht stimmt«, sollte der Hausarzt oder die Hausärztin in der Regel empfehlen, einen Facharzt für Neurologie oder eine »Gedächtnissprechstunde« aufzusuchen.

Die Diagnose »Alzheimer« ist für die Betroffenen und ihre Familien meist ein Schock. Sie kann aber auch eine Entlastung sein: Endlich wird klar, dass es kein böser Wille ist, wenn der Betroffene häufig etwas vergisst; endlich wird sein merkwürdiges Verhalten verständlich. Und nach der Diagnose ist es auch möglich, sich auf ein Leben mit der Krankheit einzustellen.

Ein Jahr wie tausend Tage macht deutlich, wie sehr nicht nur der Kranke, sondern auch dessen Familie betroffen ist. Berit trägt die Hauptlast der Pflege und muss gleichzeitig viele Alltagsanforderungen bewältigen. Ständig in der Sorge, dass etwas passieren könnte, kümmert sie sich um ihren Partner, ist aber auch berufstätig und möchte natürlich noch ein Sozialleben haben. Berit versucht, alles für ihren Partner zu tun, muss aber bald erkennen: »Wir brauchten

Hilfe. Ich, um entlastet zu werden. Er, weil er mehr benötigte, als ich überhaupt geben konnte. Nur wen? Und wo?«

Mit großer Ehrlichkeit beschreibt Berit Degnaes viele bedrückende Erfahrungen. Oft ist sie verzweifelt, erschöpft, wütend und fühlt sich allein gelassen. Viele Freunde, Verwandte und Bekannte haben kein Verständnis für die Krankheit und ziehen sich zurück; von manchen Menschen erhält sie jedoch auch die unbedingt notwendige Unterstützung. Sie erzählt aber auch von den Lichtblicken, die es neben Angst, Unruhe und Unsicherheit in Richardts Leben noch gibt, und nicht zuletzt von der Liebe, die bis zuletzt bestehen bleibt – der Krankheit zum Trotz.

Ein Jahr wie tausend Tage vermittelt eindringlich, was die Alzheimer-Krankheit – jenseits der medizinischen Fakten – für die Betroffenen und ihre Angehörigen bedeuten kann. Ohne Beschönigungen stellt dieser Erfahrungsbericht die Schwierigkeiten dar, die diese bis heute nicht heilbare Krankheit mit sich bringt. Gleichzeitig gibt er wichtige Hinweise, dass auch viel getan werden kann, um den Kranken das Leben leichter zu machen: durch eine gute ärztliche Behandlung, eine verständnisvolle Betreuung und vor allem durch menschliche Zuwendung. Hier muss noch viel geschehen, und das Buch zeigt, wie notwendig es ist, dass gerade für jüngere Menschen mit Alzheimer endlich geeignete Hilfen und Einrichtungen geschaffen werden. Was ebenfalls deutlich wird: Auch die pflegenden Angehörigen brauchen Entlastung, und sie sollten sich nicht scheuen, Beratung und Hilfe in Anspruch zu nehmen. Hier gibt es viele Möglichkeiten, auf die im Anhang hingewiesen wird.

Ich wünsche dem Buch viele Leserinnen und Leser.

Heike von Lützau-Hohlbein, Berlin
1. Vorsitzende der Deutschen Alzheimer Gesellschaft e. V.

EINLEITUNG

Richardt wäre jetzt stolz auf mich.

Ich hörte die Worte, doch sie mussten erst noch richtig ankommen, bevor sie mich mit Stolz erfüllten. Denn ich wusste, dass es richtig war. Richardt wäre stolz gewesen, dass ich es geschafft hatte, etwas von unseren Erlebnissen, seinen Leiden und von der Einstellung der Gesellschaft weiterzuvermitteln. Und ich wusste, dass er sich gefreut hätte, wenn er anderen, die in der gleichen Situation sind, hätte helfen können. Durch mehr Verständnis. Er selbst hatte sein Einverständnis gegeben, in Unterrichtsstunden für das Pflegepersonal »verwendet« zu werden. Ich weiß, dass er mir ebenso die Erlaubnis erteilt hätte, dieses Buch zu schreiben.

Denn er war der, der er war.

Dies ist eine Geschichte über das Schicksal, von einer lebensgefährlichen Krankheit betroffen zu sein: der Alzheimer-Krankheit – einer Krankheit ohne Hoffnung.

Es ist eine Geschichte über Liebe und Freude, Schmerz und Trauer.

Eine Geschichte über Richardt.

Aus einer Zeit, die mir heute unwirklich vorkommt, und mit Worten erzählt, die vielleicht ungerecht sind. Das Buch ist entstanden, nachdem ich mir angehört hatte, was ich selbst ungefähr einen Monat nach Richardts Tod auf Tonband gesprochen hatte: »Irgendwann muss ich all den Menschen, die mich – die uns – im Stich gelassen haben, mitteilen, dass sie versagt haben …«

Heute weiß ich, durch Einsicht und Erfahrung, dass viele meiner Gedanken, Gefühle und Reaktionen in der Zeit der Krankheit auf falschen Vorstellungen beruhten. Genauso bin ich mir darüber im Klaren, dass einige Menschen, die mir nahe stehen, verletzt sein und sich ungerecht behandelt fühlen werden, wenn sie dieses Buch lesen. Jetzt, im Nachhinein, sehe ich selbst, dass sie teilweise Recht hatten.

Trotzdem habe ich mich entschieden, so zu schreiben, wie ich es damals erlebt habe. Denn genauso habe ich, haben wir es damals empfunden und erlebt. Ich bitte dafür um Verständnis und hoffe, dass diejenigen, die sich verletzt fühlen, trotzdem erkennen, dass sie für einen guten Zweck im Buch vorkommen – und stolz darauf sein können. Dadurch ist es vielleicht möglich, das Leben all derjenigen zu erleichtern, die mit dem gleichen fehlenden Verständnis, Wissen und der gleichen Einstellung, mit denen wir konfrontiert wurden, gekämpft haben, momentan kämpfen oder noch kämpfen werden – und nicht zuletzt darunter leiden werden.

Was eine schwierige und schlimme Zeit noch schwieriger macht.

Und noch viel schlimmer.

KAPITEL 1

Bei der Wahl zwischen Leben und Tod
kann ich einfach nicht anders wählen …

Sommerabend. Obwohl die Sonne noch nicht untergegangen war, fühlte ich die Nacht im Zimmer. Meine Augen waren trocken, als ich mich über den Mann im Bett beugte – ihn, meinen Liebsten, und doch nicht ihn. Die Krankheit hatte ihn mir schon lange genommen. Jetzt wartete noch der Tod darauf, ihn mir zu nehmen.

»Leb' wohl, Richardt, ich weiß, dass du der Einzige bist, der meine Entscheidung verstehen wird. Bei der Wahl zwischen Leben und Tod kann ich einfach nicht anders wählen, ich verlasse dich jetzt.«

Bis zum bitteren Ende wurde ich gezwungen, eine Wahl zu treffen und stärker zu sein, als ich war. In der Tür drehte ich mich ein letztes Mal um. Keine Bewegung, nicht einmal ein Zittern der Augenlider deutete darauf hin, dass er bemerkte, dass ich ging.

Im Schwesternzimmer saß die Nachtschwester. »Jetzt gehe ich. Versprechen Sie mir, dass Sie bis zum Ende bei ihm sitzen bleiben werden? Und mich sofort anrufen, wenn es vorbei ist?«

Sie stand auf, legte ihren Arm um mich. »Ich verspreche es Ihnen. Gehen Sie jetzt nach Hause. Versuchen Sie, ein wenig zu schlafen. Sie brauchen den Schlaf, um den morgigen Tag durchzustehen. In den vergangenen zehn Tagen hatten Sie viel zu wenig Schlaf.«

Wir hatten zuletzt viele Nächte miteinander verbracht. Glücklicherweise gab es Schwestern wie sie.

Auf dem Weg über den langen, nächtlichen Krankenhausflur kamen mir die Tränen, und überrascht spürte ich, wie sich unter das Gefühl der Verzweiflung Zorn mischte. Ein unerklärlicher und unberechtigter Zorn gegen ihn, den ich verließ – und der mich verließ. Zorn, weil er starb, weil er genau zu diesem Zeitpunkt sterben wollte. Weil er mir noch mehr Schmerz zufügte.

Als sich die großen Krankenhaustüren hinter mir schlossen, mischte sich ein anderer Gedanke hinein: Dies ist definitiv das Ende all meiner Hoffnungen auf ein gemeinsames Leben bis ins hohe Alter.

Und genauso schnell, wie mich der Zorn übermannt hatte, überwältigten mich die Gefühle, die ich gehabt hatte, als ich hierher gekommen war.

Wir waren nicht mehr ganz jung, als wir uns kennen lernten. Mitte 40, jeder mit seinem Partner verheiratet und eigentlich mit genug Verstand ausgestattet, um das frühere Leben nicht für eine zufällige Affäre über Bord zu werfen, wie die meisten meinten. Midlifekrise und Torschlusspanik lautete deren Urteil.

Doch es war mehr.

Es war das Verstehen ohne Worte, es waren die gleiche Wellenlänge, der Humor und die gemeinsamen Freuden. Wir waren ebenbürtige Gesprächspartner und hatten beide die Fähigkeit und den Willen, voneinander zu lernen. In vielerlei Hinsicht begegneten wir uns selbst im anderen, im Guten und im Bösen.

Nachdem ich einige Jahre lang als Hausfrau mit meinen Kindern und den häuslichen Pflichten genug ausgelastet gewesen war, begann ich langsam wieder, mir neue Aufgaben zu wünschen. Der Zufall wollte es, dass meine alte Arbeitsstelle als Sekretärin in einem größeren Grafikbüro frei wurde und ich wie ein liebes Familienmitglied willkommen geheißen wurde. Mehr als zehn Jahre war ich weg gewesen. Es erschien mir wie gerade einmal zehn Tage.

»Unglaublich«, sagte ich bei meinem Rundgang am ersten Tag nach zehn, zwölf Jahren Abwesenheit, bei dem so viele Erinnerungen hochkamen. Ich stieß auf einen alten Kollegen nach dem anderen. »Als ich aufhörte, waren wir gleich alt, und jetzt sind wir es noch immer.« Und so war es wirklich; das Personal hatte kaum gewechselt.

»Die größte Veränderung, die dir auffallen wird, ist, dass wir die Nachnamen durch die Vornamen ersetzt haben«, sagte mein alter

Chef, dem man die vorübergegangenen Jahre kaum ansehen konnte. Aber es war doch noch etwas mehr geschehen. Unter anderem waren einige Jungs von »ganz unten« zu Abteilungsleitern und in die Unternehmensleitung aufgerückt. Richardt war einer von ihnen.

Ich konnte mich noch an ihn aus früheren Zeiten erinnern, hatte ihn aber nicht besonders gut gekannt: den etwas ernsten, dunkelhaarigen, gut aussehenden jungen Mann mit seinen braunen Augen, die durch einen hindurch sahen. Und nicht zuletzt mit dem damals in den siebziger Jahren modernen Koteletten.

Wir hatten nicht viel Kontakt gehabt. Solide und zuverlässig wirkte er damals und auch heute noch. Aber ich entdeckte, dass seine braunen Augen voller Humor waren, vor Zorn sprühen und melancholisch sein konnten. Und er stand hinter dem, was er sagte.

Wann »entdeckte« ich ihn das erste Mal?

Wann »sah« er mich?

Wahrscheinlich kam es nach und nach, je mehr wir unsere ähnlichen Einstellungen, Ansichten und unseren gemeinsamen Humor entdeckten.

Wann wurde es für mich Liebe? Warum wurde es für mich Liebe? Ich dachte, ich lebte in einer Ehe, die mir völlig ausreichte, verheiratet mit einem Mann, der mich liebte, und als Mutter von drei Kindern. Trotz alledem schlichen sich »unerlaubte« Gefühle ein. Wurde es Liebe wegen seiner trockenen Kommentare, wegen der Gefühle von Stabilität und Sicherheit, wegen seines Verständnisses und Engagements in Personalangelegenheiten oder weil er mir in heftigen Diskussionen widersprach? Und ich gleichzeitig einen unsicheren Menschen mit einem großen Bedürfnis nach Zärtlichkeit und Nähe erahnte? Oder war es deshalb, weil er so gut Swing tanzen konnte?

Ich weiß es nicht – aber ich verliebte mich in ihn.

Es war nie eine Büroaffäre gewesen, aus der dann plötzlich Ernst wurde. Es war Ernst vom ersten Augenblick an, zwischendurch mit vielen Gefühlseinbrüchen und -verleugnungen. Doch vergebens.

»Niemand kann eigenes Glück auf anderer Unglück bauen.« Wir hatten uns beide sehr oft an diese Worte erinnert, doch irgendwie galten sie nicht uns. Vor allem, wenn wir sahen, wie viel wir im Leben des anderen bedeuteten und was wir geben und zurückbekommen konnten.

»Das ist totaler Wahnsinn! Zusammen haben wir zwei Ehepartner und fünf Kinder – zwar fast erwachsene und die meisten flügge, doch welches Recht haben wir, zwei Familien zu trennen?« Die Frage blieb im Raum stehen; eigentlich gab es wohl nur eine Antwort. Ich beantragte Beurlaubung, bekam sechs Monate unbezahlten Urlaub und hatte den festen Willen, auf meine Ehe und meine Familie zu setzen. Wir waren uns bei dieser Lösung einig. Vielleicht würde ein halbes Jahr ohne Kontakt unsere Gefühle dämpfen.

Doch wen meinten wir zu überlisten? Bevor die sechs Monate um waren, packte ich zwei Koffer und zog aus. Zum ersten Mal in meinem Leben wohnte ich zur Untermiete in einem möblierten Zimmer. Mitten aus dem Familienleben, aus einem Haus mit vier Zimmern, einem Hund und einem Auto, kam ich nun in ein möbliertes Zimmer mit Schlafsofa. Genauso wie Richardt am anderen Ende der Stadt. In eine gemeinsame Wohnung wollten wir nicht ziehen, noch nicht. Es war genug, Freunde zu sein. Unsere Kinder hatten es ohnehin schon schwer und sollten nicht noch zusätzlich mit dem unbekannten »Feind«, der in ihr Leben getreten war, zurechtkommen müssen.

Wir konnten warten, denn wir hatten ja noch ein ganzes Leben vor uns.

Es zehrte an mir, Kompromisse zu machen, und gegen die eigene Überzeugung, das eigene Selbstwertgefühl und die Gefühle anderer zu handeln. Richardt magerte ab. Einige Male, wenn er meinte, unbeobachtet zu sein, sah ich sein eingefallenes Gesicht, sah ich den Schmerz in seinen Augen, den er sich in schlaflosen Nächten selbst zufügte, wenn er an seinem Recht zweifelte, mit mir zusammen zu sein. Bei Licht betrachtet, konnte er dies verantworten und war sogar in der Lage, mir über die gleichen Fragen und die gleichen

Qualen hinweg zu helfen; beim gleichen Tageslicht, das auch unsere Freude nicht verbergen konnte.

Abstand und Nähe. Richardt war einige Tage auf Dienstreise gewesen, und als er zurückkam, war ich auf Fortbildung. Wir hatten uns nur kurz am Telefon Grüße schicken können, das Fehlen des anderen schmerzte. Wir hatten vereinbart, dass er mich nach der Fortbildung abholt, doch die letzte halbe Stunde wurde unendlich lang. Meine Aufmerksamkeit schwankte zwischen dem Kursleiter und dem Parkplatz vor dem Fenster hin und her. Nein, noch immer kein bekanntes Auto in Sicht. Als ich dabei war, meine Unterlagen vom Tisch zu räumen, sah ich ihn kommen. Und sah gleichzeitig den Kursleiter auf mich zukommen. Ich hatte einige Fragen gestellt, für deren Beantwortung er sich nun einige Minuten zusätzlich Zeit nehmen wollte. Allerdings ganz im Gegensatz zu mir, jedenfalls im Moment. Ich schnappte mir meine Tasche und die Unterlagen, warf ihm einen entschuldigenden Blick zu und winkte noch kurz, bevor ich aus dem Raum stürzte. Auf dem Weg zum Parkplatz spürte ich, wie ich vor Freude übersprudelte. Es begann im Bauch, und ich schaffte es nicht, meinen Mund ruhig zu halten. Er verlangte nach einem Kuss. War ich 46?

Auf dem Nachhauseweg unterhielten wir uns kaum im Auto. Es war auch gar nicht notwendig. Mir reichte es, in Richardts Nähe zu sitzen, ihn zu berühren, den Anblick des bekannten Profils zu genießen und jedes Mal in die strahlenden braunen Augen zu schauen, wenn er seinen Blick von der Straße nahm und meinem begegnete. In seinem Gesicht konnte ich die gleiche Freude lesen. Die Freude darüber, dass wir uns hatten.

»Was in aller Welt meinst du denn damit?«

Ich sah Richardt überrascht an. Er hatte einige Behauptungen aufgestellt, die mich schockierten, und ich wollte eine bessere Erklärung. Politisch waren wir nicht immer einer Meinung und nicht selten führte dies zu Diskussionen zwischen uns. Diesmal war es seine Haltung in Bezug auf eine Personalsache, die meine Reaktion hervorrief.

»Das kannst du doch nicht im Ernst meinen!«

Und doch tat er es und brachte sogar einige zusätzliche Argumente vor. Empörung und Eifer gewannen bei mir die Oberhand. Die Diskussion wurde hitziger. Jedes Mal, wenn ich meinte, mich durchgesetzt zu haben, kam Richardt mit einem neuen Gegenargument. Als Führungskraft war er rhetorisch geschult, während ich nur auf meinen gesunden Menschenverstand und meine Lebenserfahrung zurückgreifen konnte. Fair war das nicht.

Als die Atmosphäre langsam überkochte, hielt er plötzlich inne, lachte und umarmte mich:

»Vielen Dank, welch ein Glück, dass ich jemanden habe, mit dem ich die Messer wetzen kann! Jetzt habe ich gleich mehrere Argumente und Standpunkte für die morgige Sitzung.«

Seine Stimme klang ernst, als er anschließend sagte:

»Ich kann es fast nicht glauben, dass es so ist wie es ist. Wie ich von so einem Leben geträumt habe!«

Aus meinem anfänglichen Zorn wurde tiefer Stolz.

Nach einigen turbulenten Jahren waren wir der Meinung, dass das Leben nun für uns beginnen konnte. Wir schmiedeten Pläne und setzten einige von ihnen in die Tat um. Unsere möblierten Zimmer tauschten wir gegen eine gemeinsame Mietwohnung. Möbel und Einrichtungsgegenstände vom Flohmarkt und aus den Kellern von Freunden und Kollegen machten die Wohnung zu einem spartanischen und originellen, aber gemütlichen Zuhause. Als auch einige unserer Kinder zu uns zogen, hatten wir sogar wieder ein Familienleben mit Teenagern.

Unsere Liebe wuchs, unsere Beziehung wurde enger, und wir wussten, dass die schwere Entscheidung, die wir getroffen hatten, richtig gewesen war. Wir hatten in der ganzen Zeit sehr viele Tränen vergossen, jetzt konnten wir unsere Freude miteinander teilen und zusammen lachen. Wir mussten unser Lachen sogar dämpfen, als eines Nachts der Lattenrost brach und ein Krachen alles in ein Chaos von Matratzen und Armen und Beinen verwandelte. Um nicht immer lauter zu lachen, stopften wir uns vor lauter Verzweiflung Bettdecke und Kissen in den Mund. Schließlich schliefen zwei unserer Kinder im Zimmer nebenan …

Ich erlebte ganz besondere Liebe und Fürsorglichkeit, als ich nach einem Sporttraining plötzlich mit zwei gebrochenen Handgelenken dastand und selbst die persönlichsten Dinge für mich nicht ohne Hilfe zu schaffen waren. Füttern, Baden und Anziehen – all das tat Richardt mit Freude, wie er betonte, und ergatterte bei dieser Gelegenheit immer gleich ein oder zwei Küsse. Schwieriger war es mit dem Schminken, doch glücklicherweise gab es eine Tochter im Haus.

»Warte ab«, meinte er auf meine Frage, ob er nicht durch seine Pflegearbeit langsam erschöpft sei, »ich werde mich bestimmt noch rächen!«

Wann schlich sich die erste Unsicherheit in unsere Beziehung ein? Wann hatte ich das erste Mal das Gefühl, dass etwas nicht in Ordnung war – und was? War es, als er nicht mehr die netten kleinen Zettel schrieb, die ich sonst überall gefunden hatte, z. B. an der Kühlschranktür, wenn ich abends spät nach Hause kam: »Hattest du einen schönen Abend? Du kannst mich ruhig wecken …« Oder am Badezimmerspiegel, wenn ich morgens aufstand: »Erzähle dir heute Abend, was ich geträumt habe!«

Oder war es, als Richardts Entschuldigungen für etwas, das er vergessen hatte, zu vage wurden, zu konstruiert? Unangenehme Gedanken drängten sich unerbittlich auf. Vielleicht bereute er mittlerweile unseren Schritt in die Beziehung?

Ich begann, bei Richardt nach anderen Anzeichen für veränderte Gefühle mir gegenüber zu suchen, ohne sie jedoch zu finden. Während er sich geistig von mir entfernte, machte er sich ansonsten immer abhängiger von mir. Was ich bisher ganz besonders schätzte und was vor allem das Fundament unserer Beziehung ausmachte, war unsere Verbundenheit auf der einen Seite und auf der anderen Seite die Gewissheit, zwei Individuen zu sein, die ihr eigenes Leben lebten. Richardts Selbstständigkeit, seine Stärke und sein Mut, Schwäche zu zeigen, erfüllten mich mit Respekt. Respekt vor seinem Lebensstil, vor seinen Ansichten und vor ihm als Mensch.

Nun gab es Veränderungen, Veränderungen, die ich aber nicht sah – nicht sehen wollte.

Eines Nachmittags bekam ich Besuch von einer Freundin. Wir saßen im Garten bei einer Tasse Kaffee und genossen die letzten Sonnenstrahlen. Richardt kam zu uns nach draußen und verabschiedete sich, da er zu einer Abendveranstaltung wollte. Wir blieben sitzen und sahen ihm nach, während er den Gartenweg hinunterging. Ich war voll inniger Gefühle und freute mich schon jetzt auf seine Rückkehr – wie ich es immer tat, denn ich wusste, dass die Freude doppelt so groß war, wenn ich ihn nach Hause kommen sah. Aber sie, meine Freundin …

Als ich mich halb lachend, halb verschämt zu ihr drehte, um ihr zu erzählen, wie es mir gerade ging, und ihr Gesicht sah, verschwand mein Lächeln. Ihr stand der Schreck ins Gesicht geschrieben und kurz darauf Angst: »Was ist mit ihm? Ist er krank? Er ist ja innerhalb weniger Monate um mehrere Jahre gealtert. Du lieber Himmel, er läuft ja wie ein alter Mann!«

Ich konnte meine Augen nicht mehr vor dem verschließen, was ich nicht sehen wollte.

Mein Schreck letzten Herbst war groß gewesen, als ich Richardt plötzlich im Fernsehen bei der Übertragung des New-York-Marathons sah, an dem er teilgenommen hatte. Der Kameramann hatte ihn im Bild eingefangen, und plötzlich sah ich Veränderungen an ihm, die mir in unserem Alltag nicht aufgefallen waren – oder mir vielleicht nicht hatten auffallen wollen. Inmitten der Freude und Überraschung, Richardt zu sehen, erschrak ich so sehr darüber, wie erschöpft und abgekämpft er schon vor dem Lauf aussah, dass ich sofort den Hörer in die Hand nahm – und Richardt weckte, denn an die Zeitverschiebung hatte ich natürlich nicht gedacht. Er aber freute sich, meine Stimme zu hören, und beruhigte mich damit, dass der Grund Magenprobleme gewesen seien und dass er schlecht geschlafen habe. Ich ließ mich beruhigen.

Als ich einige Tage später eine Postkarte bekam, auf der ich sein jubelndes »Ich hab's geschafft!« regelrecht hören konnte, verschwand meine restliche Unruhe. Glaubte ich.

Aber sie war noch immer in mir.

Diese Probleme mit einer ganz gewöhnlichen Renovierung, nachdem wir uns ein Haus gekauft hatten! Richardt kapitulierte schließlich und rief unter dem Vorwand, er habe beruflich so viel zu tun, Handwerker zu Hilfe, die die Arbeiten zu Ende führen sollten. All die Male, wenn Richardt nicht weiter wusste und nach Worten suchte! All die Verabredungen, die er vergaß und mich gleichzeitig davon überzeugen wollte, dass Missverständnisse die Ursache dafür waren! Und nicht zuletzt erinnere ich mich, wie erschrocken ich war, als Richardt eines Tages eine Summe berechnet und ein unlogisches Ergebnis erhalten hatte – ohne darauf zu reagieren.

Zudem klagte er ständig über Kopfschmerzen.

Ich merkte, wie sich langsam Angst einschlich. Was bahnte sich an?

Die guten Tage hielten die Angst von uns fern. Dann war Richardt »mein«, er war so, wie ich ihn kannte und liebte. Mit einer starken Schulter, an die ich mich lehnen konnte, ob wir nun über Kleinigkeiten sprachen, Weltprobleme lösten – oder unser Leben im Alter planten. Ich wollte verreisen, ein halbes Jahr lang in wärmeren Gegenden leben. Er wollte einen kleinen Bauernhof mit einem Waldstück kaufen, mit seiner Motorsäge den Wald in Ordnung halten. Wir kamen zu der Erkenntnis, dass sich beides miteinander kombinieren ließe, indem wir im Winter in wärmere Gebiete reisten und uns im Sommer um den Bauernhof kümmerten. Mit einer kleinen Wohnung in der Stadt.

Diskussionen und lange Gespräche, die wir gern miteinander führten, ließen mich glauben, dass dieses quälende Gefühl von etwas Fremdem nur Einbildung war. Denn nach wie vor war es für mich nichts weiter als etwas Eigenartiges, etwas, das ich nicht genau ausmachen konnte.

Doch dann passierte es wieder, obwohl es eigentlich nur eine Kleinigkeit war.

Wir hatten Freunde zum Grillen im Garten eingeladen, und wie immer musste kurz vorher noch viel erledigt werden. »Für das Grillen bist du heute verantwortlich«, sagte ich aus der merkwürdigen Einstellung heraus, dass Männer, die ansonsten nie einen Kochtopf in die Hand nehmen, die einzig in Frage kommenden Grillmeister seien.

Fünf Minuten bevor die Gäste eintreffen sollten, steckte ich den Kopf aus der Tür zum Garten: »Wie sieht es mit dem Grill aus? Wird er langsam heiß?«

Keine Antwort.

Ein kurzer Blick in den Garten ergab, dass Richardt nicht dort war. Zudem war der Grill noch kalt. Besorgt rief ich einige Male nach ihm – und bekam eine Antwort aus dem Keller.

Ich fand ihn vor dem Abstellraum, und obwohl er unermüdlich – viel zu unermüdlich – versuchte, mich davon zu überzeugen, dass er nach dem Grillzeug suchte, beängstigte mich in erster Linie sein Gesichtsausdruck. Die Verwirrung in seinen Augen, als ich erschien, und die Erleichterung … Darüber, dass er so schnell eine ganz normale Erklärung hervorgezaubert hatte, weshalb er sich dort unten aufhielt? Doch das gesamte Grillzeug hatte er selbst schon am Morgen hervorgeholt – und nicht aus dem Keller.

Wenn ich nicht schon bereits vorher Grund zur Beunruhigung gehabt hätte, wenn ich nicht schon Anzeichen dafür gesehen hätte, dass etwas nicht in Ordnung war, hätte ich es sicherlich als Zerstreutheit abgetan, als etwas, das jedem einmal passieren kann. Aber jetzt …

Wieder war es da, dieses beängstigende Gefühl.

☆

Urlaubszeit. Schon im Winter hatten wir uns entschieden, mit dem Auto in den Urlaub zu fahren, nur wir beide. Wir wollten die östlichen Nachbarländer besuchen, das Zwanglose mit dem Großstadturlaub verbinden.

Nichts half gegen das Gefühl der Verzweiflung, wenn Richardt rechts und links nicht mehr unterscheiden konnte – nicht einmal, wenn ich in die Richtung zeigte. Da war auch kein Glücksgefühl mehr, wenn ich morgens vom Duft frischer Brötchen aufwachte, weil Richardt mir eine Freude machen wollte und deshalb in aller Frühe aufgestanden war und mit dem Auto nach einem Bäcker gesucht hatte, weil er wusste, wie gern ich warme Brötchen zum Frühstück aß.

Und als er anderthalb Stunden lang verschwunden war und nicht einmal erklären konnte, weshalb, obwohl er nur das Auto in einer Stockholmer Hotelgarage parken sollte, konnte ich meine Augen einfach nicht mehr davor verschließen, dass irgendetwas mit ihm nicht stimmte.

Jetzt zogen all die Erlebnisse vor meinem inneren Auge vorüber, die ich nicht länger beschönigen konnte, und ich konnte nicht mehr vor mir selbst verbergen, dass ich ihn eigentlich durch den Urlaub »geschleift« hatte.

Schließlich wagte ich es, den Schleier vor der noch weiter zurückliegenden Zeit zu lüften.

Im Sommer zuvor. Wir hatten in Dänemark eine Hütte gemietet. Richardt sollte die Kinder zum nächstgelegenen Ort fahren, etwa zehn Minuten mit dem Auto entfernt, und war für zwei Stunden verschwunden. Es folgte eine lange und allzu umständliche Erklärung, als er schließlich wieder auftauchte.

Im Herbst des gleichen Jahres.

Urlaub in England und die Schwierigkeiten mit dem Linksverkehr. Die Unsicherheit bei neuen Situationen.

Hier in Stockholm wurde Richardt wütend auf mich, weil ich gefragt hatte, wo in aller Welt er gewesen sei.

Wie erlebte er es selbst? Wie bewältigte er sein eigenes Erschrecken über dieses Erlebnis? Bei dem Gedanken schauderte *mir*.

Wie einst, als sich eine meiner Töchter eine Wohnung in der Altstadt gekauft hatte und genug zu tun war.

»Die Wohnung gefällt mir«, sagte Richardt, als wir zum ersten Mal die Wohnung besichtigten. »Muss etwas renoviert werden, aber ich helfe dir dabei.«

Es fing gut an.

Anstreichen und Tapezieren machten nur langsam Fortschritte, aber es hielt sich im Rahmen. Hin und wieder ging etwas daneben, aber es war nicht so schlimm, als dass man nicht eine Erklärung dafür gehabt hätte. Eigentlich wusste ich gar nicht, wie gut Richardt so etwas überhaupt konnte, weil unsere eigene Renovierung von Handwerkern erledigt wurde. Es ging auch erst so richtig schief, als wir zu den Gardinen kamen. Zuerst war es für Richardt vollkommen unmöglich zu verstehen, wie die Aufhängung funktionierte. Selbst nachdem er die Anleitung gelesen und unseren Erklärungen zugehört hatte, verstand er das Prinzip noch immer nicht.

Was aber am meisten schmerzte und am schlimmsten mit anzusehen war, war nicht der Kampf mit der Aufhängung der Gardinen. Dieser endete schließlich mit einigen unschönen Worten, einem unnötig großen Loch in der Wand, einer beschädigten Gardinenaufhängung und einer wütenden Wohnungseigentümerin. Nein, was am meisten schmerzte, war Richardts Gesichtsausdruck, seine Verwirrung, sein Schamgefühl und seine Verzweiflung darüber, dass er bestimmte Dinge nicht mehr problemlos bewältigen konnte.

Als ob er seine eigene Hilflosigkeit nicht verstünde.

Das Gefühl der Verbundenheit oder die starke Schulter, die ich zwar noch spürte, die aber nicht mehr die gleiche Geborgenheit gab, halfen nicht mehr – ich wusste, dass etwas nicht in Ordnung war. Und ich wusste, dass ich etwas tun musste. Nach dem Urlaub.

Richardts Kopfschmerzen lenkten den Blick zwar auf einfache Weise auf das Problem, allerdings lediglich auf die Symptome. Noch immer war es zu schwierig und zu gefährlich, das, was eigentlich dahinter steckte, beim Namen zu nennen. Noch immer kämpfte ich damit, ob ich es wissen wollte oder nicht. Wir redeten darüber, was in seinem Inneren vor sich ging, wenn er merkte, dass er einfache Aufgaben nicht mehr bewältigte. Wir redeten auch darüber, was ich fühlte, wenn ich seine Reaktionen nicht verstand.

Aber wir redeten nicht über das Warum.

Richardt nahm mit dem Betriebsarzt Kontakt auf, der zwar einige Untersuchungen vernahm, doch ohne Erfolg.

Stress stellte er als Diagnose fest. Stress und Nachwirkungen der

Scheidung und der unruhigen Arbeitssituation, pflichteten wir ihm bei. Der Arzt riet deshalb zu Kopfschmerztabletten und Ruhe, womit wir uns erst einmal zufrieden gaben.

Nach einem der vielen Gespräche mit seinem Arzt kam Richardt gut gelaunt wie lange nicht mehr nach Hause und erzählte, dass ihm der Arzt ein aktives Sexualleben empfohlen hatte.

Ohne dass ein solcher Mangel die Ursache hätte sein können, wollten wir nichts unversucht lassen. Der Effekt war recht angenehm – doch die gewünschte Wirkung blieb aus.

Die kleinen, kaum wahrnehmbaren Veränderungen, die Veränderungen in Richardts Verhalten, z. B. dass er aus den Gesprächen »herausfiel« und lange brauchte, um Antworten zu formulieren – all das musste um jeden Preis seinem Umfeld verborgen bleiben.

Er wurde Experte im »Überlisten«. Er eignete sich spezielle Ausdrücke an, die er immer wieder benutzte, griff auf frühere Erfahrungen zurück, um Menschen wiederzuerkennen, obwohl er sich nicht mehr an sie erinnern konnte, entwickelte große Kreativität im Wegerklären und im Auffüllen mit kurzen Wörtern, wenn ihm Worte fehlten.

Ich wurde Expertin im Vertuschen. Niemand sollte merken, dass Richardts Kopf nicht so funktionierte, wie er sollte.

Schämte ich mich? Auf eine Art, ja.

Krebs ist mit Schrecken behaftet, aber keine Schande.

Herzprobleme werden mit Angst und Respekt betrachtet.

Psychische Probleme sind tabu.

Und ich hatte mich für einen Mann entschieden, der alltägliche Dinge nicht mehr problemlos bewältigen konnte.

Langsam schlich sich etwas anderes in unsere Beziehung ein. Es kam vor, dass ich nachts wach lag und mit Gedanken kämpfte, zu denen ich mich bei Tageslicht nicht bekennen mochte. Denn dieser Mann, mit dem ich zusammen wohnte, zusammen schlief und zusammen aß, war einfach nicht mehr der Mann, für den ich mich entschieden hatte. Wo war sein herzliches Lachen geblieben, die interessanten Diskussionen, die guten Gespräche?

Ich hatte mir einen selbstständigen Mann gewünscht, einen Mann voll Selbstbewusstsein, der geben und nehmen konnte – und ihn auch für kurze Zeit gehabt. Jetzt wohnte ich mit einem Mann zusammen, der immer abhängiger von mir wurde, der mein Leben lebte und nicht mehr in der Lage war, unsere Zukunftspläne zu verwirklichen, die wir uns ausgemalt hatten, als wir noch verliebt und voller Optimismus waren. Ein Mann, der mir außerdem Seiten an sich zeigte, von denen ich nichts geahnt hatte. Hatte ich mich so irren können?

In der Dunkelheit der Nacht stellte ich mir selbst die Fragen, die ich am Tage nicht einmal aussprechen mochte: Wie lange muss ich das aushalten? Soll ich einfach gehen?

Gleichzeitig war ich voller Mitleid und von all den alten Gefühlen erfüllt, wenn ich es schaffte, sie wieder aufsteigen zu lassen.

»Ich habe nächste Woche eine Fortbildung zur Weiterentwicklung von Computerprogrammen«, erzählte Richardt eines Tages.

Fast die ganze Nacht vor dem ersten Tag der Fortbildung lag er schlaflos im Bett, wälzte sich herum und hielt auch mich dadurch wach.

»Was ist los? Quält dich etwas?« fragte ich ihn, nachdem er mehrmals aufgestanden war.

Er gab Magenprobleme vor und entschuldigte sich, dass ich seinetwegen nicht schlafen konnte.

Am Tag darauf kam er verhältnismäßig früh nach Hause und antwortete kaum auf meine Fragen zur Fortbildung.

Am nächsten Tag rief er mich im Büro an – von zu Hause aus und noch früh am Vormittag.

»Was machst du denn schon zu Hause?« wunderte ich mich und bekam zur Antwort, dass die Fortbildung nicht seinen Erwartungen entsprochen habe.

Ich hatte bereits große Bedenken gehabt, jetzt überflutete mich Mitgefühl. Wie ging es Richardt mit solch einer Erniedrigung? Er, der früher ein Programm mitentworfen hatte, das innerhalb seines Fachgebiets zu einer kleinen Revolution geführt hatte?

☆

Immer wieder versteckte Hinweise. »Mein Gott, er kann ja nicht einmal mehr Auto fahren!« rief ein Bekannter aus, nachdem wir durch Richardts schlechtes Fahren in einer Schneewehe stecken geblieben waren.

Ich zuckte innerlich zusammen. Wie erging es erst Richardt, der schon viele Jahre hinter dem Steuer gesessen hatte?

Ich war in mir selbst zerrissen. Ich wollte Richardt und mich davor beschützen, dass andere etwas erfuhren. Gleichzeitig wollte ich aber, dass es andere wussten – und wurde von dem Gedanken eingeholt, wie wenig aufmerksam die Menschen doch füreinander waren. Sahen sie es nicht? Wollten sie es nicht sehen? Es wäre viel einfacher gewesen, hätte jemand von außen die Initiative ergriffen. Dann hätte ich weder die Verantwortung tragen müssen, ihn bloßzustellen, noch das Gefühl gehabt, ihn zu verraten. Wie konnte ich überhaupt sagen, was vor sich ging? Schließlich wusste ich ja gar nichts.

Der Gedanke ließ mich einfach nicht los: Kann mir niemand helfen?

»Willst du mich heiraten?« Die Frage überrumpelte mich förmlich eines Abends kurz vor dem Schlafengehen, als wir bei ausgeschaltetem Fernseher beisammen saßen und völlige Ruhe herrschte. Wir hatten dies schon einmal besprochen. Richardt wollte mich gern heiraten, meine Antwort war Nein gewesen. Das heißt, ich hatte einmal Ja gesagt, mich allerdings nach reiflicher Überlegung umentschieden. Grund war einzig und allein, dass ich in meinem Leben schon einmal vor dem Altar gestanden und etwas gelobt hatte, das ich nicht gehalten hatte. Mit anderen Worten, es war eine reine Prinzipsache.

»Wir brauchen doch keine offiziellen Papiere für unsere Liebe«, hatte ich damals gemeint. »Das Wichtigste ist, was wir füreinander fühlen.«

Jetzt schaffte ich es, mich um die Antwort zu drücken.

Ich war mir nicht mehr so sicher, was ich jetzt noch empfand.

☆

Das Sonntagsfrühstück, früher einer der Höhepunkte der Woche. Vor allen Dingen, wenn wir allein im Haus waren oder die jüngere Generation das Bett nicht vor Mittag verlassen wollte. Das Frühstück konnte sich über Stunden erstrecken, und die Themen waren unbegrenzt, die uns einfielen und über die wir diskutieren konnten. Die letzten Sonntage waren jedoch eher ernst und geprägt von einem Gefühl von – Trauer? Ja, das muss es wohl gewesen sein. Trauer über das, was verloren gegangen war.

Richardt bekam aufgrund der Situation Depressionen und war voller Hoffnungslosigkeit. Noch immer wurden einige Untersuchungen vorgenommen, um die Ursache der quälenden Kopfschmerzen zu finden, doch ohne Ergebnis und ohne wirkliche Hilfe, abgesehen von neuen schmerzstillenden Tabletten.

An diesem Sonntag wurden wir fast gleichzeitig wach und unterhielten uns ein wenig im Bett. Richardt hatte ungewöhnlich gute Laune und erzählte, dass er in dieser Nacht gut geschlafen und einen schönen Traum gehabt habe. Und an der guten Laune änderte sich nichts. Es schien so, als würde Richardts augenblickliche Stimmung auch Einfluss auf seine Konzentration haben, denn unser ausgiebiges Frühstück erinnerte fast an »alte Zeiten«. Wir gingen sogar auf das ein, was wir als Richardts Probleme bezeichneten, ohne dass sich die Stimmung änderte. Endlich schafften wir es, einige Sorgen beim Namen zu nennen, die wir beide hatten. Ganz konkret wurde keiner von uns, doch ich fühlte, dass wir in dieser Sache nun an einem Strang zogen. Wir hatten den Mut besessen, sie ans Tageslicht zu bringen, und waren uns einig, dass wir uns gegenseitig unterstützen mussten. Von nun an keine heimlichen, finsteren Gedanken mehr! Es tat gut, meinen Liebsten wiederzuentdecken.

Wenn ich meinte, dass es mit Richardt und mir schon zu Hause so schlecht lief, obwohl er sich dort entspannen konnte und für nichts verantwortlich war, wie konnte er dann überhaupt seine tägliche Arbeit bewältigen? Genauer gesagt: Konnte er überhaupt seine Arbeit machen? Er hatte die Verantwortung für eine Abteilung, die funktionieren musste, von der andere abhängig waren, und er musste jederzeit in der Lage sein, umgehend Entscheidungen zu treffen. Außerdem sollten Pläne für die Zukunft entwickelt werden. Was sollte ich hier nur tun?

Mein Loyalitätsgefühl nagte an mir. Ich konnte nicht einmal den Gedanken ertragen, mit Richardts Vorgesetztem Kontakt aufzunehmen, um ihm meine Besorgnis mitzuteilen. Vielleicht war es gar nicht so schlimm, wie ich meinte? Dann könnte ich ihn auf keinen Fall hintergehen und davon berichten, wie schlecht es zu Hause ging. Ich fand für mich eine Entschuldigung, indem ich mir sagte, dass sich der Arbeitgeber sicherlich mit mir in Verbindung setzen würde, wenn es wirklich so schlimm war. Richardt und ich arbeiteten zwar nicht mehr zusammen – ich hatte in der Zwischenzeit meine Arbeitstelle gewechselt –, aber wir hatten früher den gleichen Chef gehabt. Und Richardts Arzt würde doch mit seinem Arbeitgeber Kontakt aufnehmen, schließlich sprach Richardt doch sehr oft mit ihm, sodass er seine Probleme sehen und verstehen musste! Aber gleichzeitig meldete sich der Gedanke: Vielleicht war der Arbeitsalltag für ihn ein Albtraum? Er, der nie krank gewesen war, war in der letzten Zeit ohne besonderen Grund einige Tage zu Hause geblieben. Wenn es so war, könnte es durchaus sein, dass ich Richardt einen Dienst erwies, wenn ich die Probleme ansprach.

Ich entschied mich, nicht mit dem Arbeitgeber in Kontakt zu treten, sondern lieber mit einem Kollegen von Richardt zu sprechen. Ich wusste, dass sie miteinander befreundet waren. Somit würde der Kollege sicherlich nichts tun, was Richardt das Leben erschweren konnte.

Es erwies sich als die richtige Wahl. Als ich schließlich genug Mut gesammelt hatte, um mich mit dem Kollegen und Freund in Verbindung zu setzen, stellte sich heraus, dass er sich mit den gleichen Gedanken und Ansichten herumgequält hatte wie ich.

Die ganze Arbeit, die Richardt verrichtete, ergab keinen Sinn mehr. Die Angestellten hatten sich bereits über ihn gewundert und untereinander getuschelt. Wenn Richardt bewusst war, dass er das alles nicht mehr bewältigte, dann musste es ihm unglaublich schlecht gehen. Ich war mir sicher, dass er sich darüber im Klaren war.

Jetzt geschah alles sehr schnell, ohne dass ich dabei den aktiven Part übernehmen musste. Richardts Kollege nahm Kontakt mit dem Arzt auf, der Richardt zu einem neuen Termin zu sich bestellte – und ihn krankschrieb.

Richardt empfand dies als große Erleichterung, sogar als eine so große Erleichterung, dass ich nur erraten konnte, was für ein Albtraum es für ihn gewesen sein musste, eine Arbeit auszuführen, die er nicht mehr bewältigte. Warum hatten wir dies nicht schon längst getan? Warum hatte der Arbeitgeber nicht schon längst gehandelt? Wer weiß, was Richardt erspart geblieben wäre.

KAPITEL 2

Kannst du dir vorstellen, wie es ist,
wenn man wie ein Idiot behandelt wird?

Früh am Morgen. Ich erwachte mit einem guten Gefühl. Eine streichelnde Hand. Als ich meine Augen öffnete, sah ich in seine braunen Augen – und entdeckte, dass er noch immer Lachfalten hatte und es noch immer Leben in ihm gab, obwohl sein Gesicht in der letzten Zeit um viele Jahre gealtert, sein Haar grauer geworden und er sehr abgemagert war.

»Guten Morgen, meine Liebe!«

War dies wirklich der deprimierte, gebrochene Mann, mit dem ich täglich Tisch und Bett teilte? Was war mit ihm in der Nacht geschehen? Das spielte übrigens keine Rolle. Die Freude, meinen Liebsten wiederzusehen, überstrahlte alles. Verschwunden waren die Furcht, die Angst davor, was kommen würde, die Gedanken an Versagen und die Sorgen um den nächsten Tag.

Ich rief in meiner Firma an und sagte, dass ich ein paar Stunden später kommen würde, gab vor, dass »etwas dazwischengekommen« sei. Diesen besonderen Moment durften wir einfach nicht verpassen.

Etwas später – viel später – hörte ich ihn im Bad singen. Seine Stimme war entsetzlich. Selten schaffte es Richardt, auch nur einen einzigen Ton zu halten, doch in meinen Ohren klang es wie die schönste Arie.

Als ich nachmittags nach Hause kam, saß er dort, wo er immer saß – zusammengesunken im alten Sessel. Beim Hereinkommen lächelte er mich an, aber sein Blick war etliche Kilometer weit weg.

Was sollte er den ganzen Tag lang tun, wo ihm nun so viele Stunden zur Verfügung standen? Wir hatten früher bereits überlegt, uns einen Hund anzuschaffen. Der Traum der zwei Teenager, die noch bei uns zu Hause wohnten, und eigentlich auch mein eigener, konnte jetzt vielleicht Realität werden. Richardt weigerte sich zunächst, denn er mochte zwar Hunde, aber er war den Umgang mit ihnen nicht gewohnt. War er vielleicht noch immer in der Lage, die Probleme zu sehen, die wir nicht wahrnehmen wollten?

Doch die Übermacht war zu groß, gegen all unsere guten Argumente und Überredungskünste kam er nicht an. Wir gingen auf Hundesuche und fanden einen hübschen Hund, der perfekt zu uns passte – die richtige Größe, das richtige Alter und bereits gut erzogen. Es stimmt nicht ganz, wenn ich sage, dass wir ihn fanden. Er fand uns, und es wurde Liebe auf den ersten Blick.

Richardt war in der Hundehaltung wohl zu unerfahren, um sich richtig freuen zu können. Außerdem empfand er die Verantwortung für die täglichen Spaziergänge mit dem Hund als sehr groß, größer, als mir bewusst war, wie sich zeigte. Hilfreich war für ihn, dass unsere Kinder die Morgen- und Abendspaziergänge übernahmen. Wenn er dann doch einmal tagsüber spazieren gehen wollte, konnte er den Hund mitnehmen, ohne dass es eigentlich nötig gewesen wäre.

Woran wir nicht gedacht hatten, war die Tatsache, wie schnell sich Richardts Gesundheitszustand verschlechterte, und wir wussten überhaupt nicht, wie es in seinem Kopf aussah, wie anders seine Welt war als unsere. Wie konnten wir auch? Alles wirkte für uns so einfach: »Wenn du es so oder so machst, dann bekommst du es hin.« Und wir glaubten, wir würden es ihm einfach machen: »Denk nur dran, dass …« Aber genau das tat er ja gerade nicht. Er konnte sich daran nicht erinnern. Wie empfand er es, wenn wir alles lang und breit erklärten und er es trotzdem nicht schaffte? Wenn all das, was wir gesagt und erklärt hatten, zu einem unlösbaren Knäuel wurde? Oder erlebte er es vielleicht doch anders?

Trotz aller zusätzlichen Schwierigkeiten für Richardt brachte der Hund mehr Freude als Probleme. Ich sah es an der Beziehung zwischen ihm und dem Hund, wenn er sich entspannte.

Wusste er, als er krankgeschrieben wurde und er seinen Arbeitsplatz verließ, dass dieser Tag sein letzter Arbeitstag überhaupt sein sollte? Vielleicht. Er zeigte nie Interesse daran, wieder dorthin zurückzukehren. Er machte sich nie daran, die Dinge im Büro durchzugehen, all das, was sich während seines langen Berufslebens angesammelt hatte. Sein Büro blieb genauso, wie er es verlassen hatte, bis das Gebäude verkauft werden sollte. Richardt sprach viel über die Arbeit, interessierte sich für seine ehemaligen Kollegen und schätzte deren Besuche. Er hörte gern, was es zu berichten gab – sowohl fachlich als auch im Allgemeinen. Allerdings äußerte er nie, dass er ein Teil dessen hätte sein mögen. War das Ende seines Arbeitslebens wirklich ein solcher Albtraum gewesen?

Irgendwann bekam Richardt eine Einladung zu einem großen Jubiläum in der alten Firma. An seinem Gesicht sah ich, dass es ihn sowohl freute als auch ängstigte.

»Du brauchst nicht hinzugehen, weißt du, es ist überhaupt nicht schwierig, eine Entschuldigung zu finden.«

Ich selbst war voller Sorge und banger Ahnungen, was ihm dadurch zugefügt werden könnte. Wir hatten bereits die Gedankenlosigkeit und das Unverständnis der Menschen zu spüren bekommen, wenn Richardt plötzlich vergaß, wie er mit Messer und Gabel umzugehen hatte. Oder wenn er unsicher wurde, welches sein Service oder Besteck war. Doch er wollte gerne hingehen, er erinnerte sich wohl an die vielen schönen Feiern und das Beisammensein in früheren Zeiten.

Glücklicherweise hatte ich guten Kontakt zu einer früheren Kollegin von uns beiden, die selbst viel durchgemacht hatte und Verständnis besaß. Auch sie war eingeladen und versprach, sich um Richardt zu kümmern. Ich spürte, dass er in guten Händen war, obwohl die Unruhe nicht ganz von mir weichen wollte, während ich auf seine Rückkehr wartete.

Doch Richardt kam in bester Laune nach Hause. Details von der Feier bekam ich nicht zu hören, aber der Abend hatte ihm gefallen.

Am nächsten Tag rief ich die Kollegin an, um zu hören, wie es gelaufen war. Von der Art und Weise, wie man Richardt begegnete, war sie nicht gerade beeindruckt, sagte sie; erwachsene Menschen sollten sich doch angemessener verhalten können.

Er hatte es so also nicht gesehen – oder wollte er es auf diese Art und Weise nicht sehen?

»Sei mir nicht böse«, bat Richardt, während seine Augen förmlich um Vergebung bettelten. Wofür? Dafür, dass er immer wieder nach den gleichen Dingen fragte? Dass er nicht verstand, dass er den Wasserhahn zudrehen musste, um ihn zu schließen, anstatt das Bad bei strömendem Wasser zu verlassen? Ich schaffte es nicht immer, meine Verärgerung zu verbergen – weder mir noch ihm gegenüber. Hinterher weinte ich allein vor mich hin. Weinte, weil ich es nicht so bewältigte, wie ich es hätte tun müssen – schließlich war mir bewusst, dass Richardt krank war, obwohl uns niemand sagen konnte, was ihm fehlte –, weinte aus Mitleid, weinte über das Leben, das uns verloren ging. Das schlechte Gewissen nagte an mir.

Am nächsten Tag war ich genauso verärgert, weil ich ihn mit einem einfachen Auftrag in den Garten geschickt hatte und er den schönsten Rosenbusch abschnitt.

Richardt hatte zu seinem Arzt, der ihn krankgeschrieben hatte und ihn von einer Untersuchung zur anderen schickte, guten Kontakt. Unser Leben bewegte sich auf und ab. Bei der geringsten Aussicht auf eine Diagnose stiegen unsere Hoffnungen wie Luftballons in den Himmel, die aber gleich wieder zerstochen wurden, als sich herausstellte, dass doch keine Ursache gefunden werden konnte. Das Wort Diagnose wurde zur Manie. Wenn man doch bloß die Diagnose finden würde …

Eine Untersuchung löste die andere ab, einige waren schmerzhaft, andere nicht. Eine Krankenhausabteilung löste die andere ab, ein Spezialist den anderen. Wir trafen viele nette Menschen, mitfühlende Menschen – aber nicht ganz so viele wirkliche Mitmenschen.

Er war auf der Strecke geblieben, geblieben war nur sein »Fall«. Jedes Mal, wenn jemand glaubte, die Lösung gefunden zu haben, war er interessant. Sobald sie sich als falsch erwies, wurde er wie ein Paket weitergeschickt.

☆

Warten. Wir begriffen, dass wir uns damit abfinden mussten, lernten aber nie, es richtig zu bewältigen. Nie ging es so sehr auf und ab wie damals, in der Zeit zwischen den Untersuchungen mit ihren Probeentnahmen und der zu erwartenden Antwort. War die Antwort negativ, fing alles wieder von vorn an. Neuer Arzttermin, neues Warten. Neue Proben, neues Warten.

Die Depressionen breiteten sich weiter aus, auch bei mir. Aber ich musste stark sein, musste diejenige sein, die alles regelte, musste Halt geben. Richardt wurde zum Spiegelbild meines Gemütszustands. War ich ganz unten, geriet er auch dorthin. Schaffte ich es, in guter Stimmung zu sein, klappte es mit ihm viel besser.

Nach wie vor hatten wir eine Art gesellschaftliches Leben – wir nahmen nicht daran teil, gehörten aber trotzdem dazu, wie ich es empfand. Wir wurden zu den gleichen Orten, den gleichen Menschen, den gleichen Veranstaltungen eingeladen wie einst. Trotzdem war es nicht wie früher. Am Anfang war es mir wichtig, dass niemand Richardts Geisteszustand bemerkte. Niemand sollte an seinem Verhalten etwas in Frage stellen. Ich verließ ihn selten und war nie weiter weg, um alles im Auge behalten und die Gespräche mithören zu können. Ich überspielte alles schnell, redete um den heißen Brei herum, redete die Probleme weg. Oder half mit den Worten aus, die er selbst plötzlich nicht fand. Wen beschützte ich eigentlich? Ihn oder mich?

Nachdem sich Richardts Zustand zunehmend verschlechterte und man nicht länger verbergen konnte, dass etwas nicht in Ordnung war, wurde es wichtiger, ihm unangenehme Erfahrungen zu ersparen. Ich sah, dass er sich innerlich wand, wenn das Gespräch am Tisch verstummte, weil es so lange dauerte, bis er begriff, bis er die Sätze formulieren konnte und die anderen die Frage schon längst wieder vergessen hatten, ehe er – oft völlig aus dem Zusammenhang – plötzlich die Antwort vorbrachte und begriff, dass die Stille auf ihn zurückzuführen war.

Und all die verschiedenen Reaktionen, um die Stille zu überspielen: leicht hysterisches Schwatzen, allzu viele Worte, ein mitleidiger Ton und ein deutliches und langsames Sprechen wie gegenüber kleinen Kindern – und dann gab es glücklicherweise auch einige, die ganz natürlich den Faden aufgriffen und das Gespräch zur Antwort zurückführten. Unsere Dankbarkeit war groß, wenn wir solche Menschen trafen.

Um solchen unangenehmen Erfahrungen auszuweichen, sagte Richardt kaum noch etwas, wenn wir mit anderen zusammen waren. Er saß am Tisch und lächelte, wenn andere lachten, antwortete nur auf direkte Fragen – und zog sich wieder in sich selbst zurück, wenn der Betreffende nicht die Zeit hatte, auf die Antwort zu warten, und das Gespräch über seinen Kopf hinweg fortgeführt wurde.

Später Abend, oder genauer: früh in der Nacht. Auf dem Nachhauseweg von einer, wie ich fand, schönen Feier, war er sehr ruhig – mehr als sonst. Wenn wir allein waren, holte Richardt oft das nach, was er im Laufe des Abends versäumt hatte. Nicht selten überraschte er mich, indem er Dinge, die er gesehen hatte, ansprach oder Gedanken äußerte, von denen ich glaubte, dass er deren Reichweite gar nicht mehr begreifen würde. Noch immer konnten wir unseren Spaß haben und etwas schadenfroh über das Benehmen und die Äußerungen Einzelner herziehen. Vielleicht gehört es sich nicht ganz, doch für uns beide war es recht unterhaltsam. Aber an diesem Abend war er schweigsam.

»Möchtest du etwas, bevor wir ins Bett gehen?« fragte ich. Richardt hatte sich in seinen Lieblingssessel gesetzt und sah aus, als hätte er etwas auf dem Herzen.

»Nein, danke.«

Ich hörte, dass seine Stimme gepresst klang, und sah ihn mir etwas genauer an. Da entdeckte ich, dass er Tränen in den Augen hatte.

»Kannst du dir vorstellen, wie es ist, wenn man wie ein Idiot behandelt wird?« In seiner Stimme lagen Tränen und Verzweiflung.

Zum ersten Mal weinten wir gemeinsam.

Den genauen Grund habe ich nie erfahren, vielleicht war es auch nichts Spezielles gewesen, sondern nur all die kleinen Dinge, die ihn außen vor hielten, aber es war die letzte Feier gewesen, auf der wir waren.

Später gingen wir am liebsten nur noch dorthin, wo wir wussten, dass Menschen da waren, die uns gut kannten, und ich achtete noch mehr darauf, Richardt nicht aus den Augen zu lassen.

In dieser Nacht änderte etwas für mich. Obwohl ich großes Mitleid mit ihm hatte, musste ich eingestehen, dass mein Selbstmitleid genauso groß war, vielleicht sogar noch größer:

Ich war im Begriff, meinen Liebsten zu verlieren.

Ich verlor meine gesellschaftlichen Kontakte.

Ich verlor die Zukunft.

Geblieben waren ein Leben und eine Fürsorgefunktion, die ich nicht haben wollte, jedenfalls noch nicht so früh.

Doch dies öffnete mir die Augen. Was verlor er nicht alles? Die gleichen Dinge wie ich, und obendrein verlor er sich selbst, er verlor seine Würde.

Er verlor sein Leben.

All die schmerzenden Gefühle, mit denen ich mich allein gequält hatte, wichen allmählich von mir; es entstand eine neue Art von Liebe. Vieles beruhte auf Mitleid, so war es nun einmal, doch auch viel auf Respekt und Stolz. Stolz darüber, wie er die Qualen ertrug, die ihm zugefügt wurden, die psychischen Schmerzen und die Verzweiflung, die er durchlitt. Respekt gegenüber dem Menschen, der er war und der sein Leben weiterlebte, der sich noch immer um andere sorgte, um mich, um seine Kinder. Und der noch immer Hoffnung hatte – obwohl niemand sagen konnte, was ihm fehlte, nur, dass es etwas Ernstes war.

Doch nichts wurde für ihn getan.

Wir waren so allein. Allein mit den Fragen. Allein mit den Sorgen – allein mit der Angst. Man kümmerte sich um jeden Körperteil, der untersucht werden sollte, doch was war mit dem Rest? Das, was er war, die Person – der Mensch? Niemand kümmerte sich darum.

»Nun, wie geht's?« fragte der Neurologe, ohne auf die Antwort zu warten.

»Nun, wie geht's?« fragte der Radiologe, und unterbrach ihn, bevor er seine Antwort ausgesprochen hatte.

»Nun, wie …?« begann der Arzt, der für die Computertomographie des Kopfes zuständig war, und unterbrach sich selbst.

Am Ende lernten wir, nicht einmal den Versuch zu machen, darauf eine Antwort zu geben. Es achtete ja sowieso niemand darauf.

Alle Arztbesuche und Untersuchungen, die Richardt zu verschiedenen Tageszeiten hatte, schufen praktische Probleme. Anfangs fuhr er selbst mit dem Auto hin, eine Zeit lang fuhr ich quasi vom Beifahrersitz aus – zwar nicht im wahrsten Sinne des Wortes, aber auf jeden Fall im übertragenen Sinne. Er hatte Probleme mit rechts und links, der Orientierungssinn versagte, und er fuhr immer langsamer. An dem Tag, als mich ein Kollege anrief, der beobachtet hatte, wie er bei Rot über die Ampel fuhr, verstand ich, dass etwas geschehen musste. Ich hatte es schon lange gewusst: Er durfte nicht mehr hinter dem Steuer sitzen. Doch einem Mann das Recht absprechen, sein eigenes Auto zu fahren …

Weshalb musste ich diejenige sein, die dieses Urteil verkünden sollte?

Ich hatte schon vorher einmal versucht, einen der Ärzte, die wir aufsuchten, auf das Problem hinzuweisen – und wurde damit abgefertigt, dass viele Leute noch bis ins hohe Alter Auto fahren können.

Richardt sagte nichts, doch seine Augen sagten umso mehr an diesem Nachmittag, als ich mich ihm gegenübersetzte und auf leicht verständliche Art und Weise zu erklären versuchte, dass er andere Menschen nicht gefährden darf. Und er willigte ein, wortlos, so wie er alle seine Krankheitssymptome akzeptierte.

Jetzt würden wir jedenfalls nicht mehr vom Nachbarn gebeten werden müssen, die Garagentür abzuschließen. Es war unangenehm, deshalb einen Zettel im Briefkasten zu finden. Ich sollte sie informieren, etwas sagen, das sein sonderbares Verhalten erklärte. Aber ich weigerte mich immer noch. Vogel-Strauß-Politik?

Wie viel verstand er von seiner eigenen Situation? Wie viel hatte er selbst herausgefunden, ohne mit mir darüber zu reden? Ich weiß es nicht, wir sprachen es nicht aus. Es wäre zu gefährlich gewesen, zu nah. Wenn wir es getan hätten, müssten wir uns einer Realität stellen, für die wir nicht bereit waren. Es war einfacher, sich den Symptomen zu stellen, den praktischen Problemen. Hier konnten wir etwas tun. Erst hatte er und dann ich überraschend viele Ideen, wenn es darum ging, den Alltag leichter zu machen.

Als das Auto schließlich in der Garage blieb, fuhr Richardt mit dem Taxi. Ich selbst hatte keinen Führerschein, und außerdem ging ich ja arbeiten. Manchmal musste er allein zurechtkommen. Die Taxizentrale war professionell genug, um die nötigen Angaben in ihren Computer einzugeben. Größtenteils ging es gut, die meisten Taxifahrer waren entgegenkommend und hilfsbereit; sie holten und begleiteten ihn bis zur Tür.

Dort, wo wir Hilfe und Verständnis erwarteten, war es oft schlimmer. Der Tag der allerletzten Untersuchung war gekommen, und wir hatten Bescheid bekommen, dass dies die letzte Möglichkeit sei. Mehr konnten sie nicht überprüfen. All die anderen in Frage kommenden Proben waren untersucht.

Ich begleitete Richardt zum Krankenhaus, konnte allerdings nicht die ganze Zeit bei ihm sein. Die Arbeit wartete, außerdem ging ich davon aus, dass er in guten Händen war. Hier hatten sie seine Unterlagen und wussten, welche Probleme er hatte. Ich fand eine Krankenschwester, und sie versprach, nach der Untersuchung für Richardt ein Taxi zu rufen, ihn dorthin zu begleiten und seine Adresse anzugeben. Der Taxifahrer würde ihn bis zur Tür bringen.

Als ich ging, schaute er mir lange nach, ich sah die Unsicherheit in seinem Gesicht. Dies war eine neue Umgebung, und das verunsicherte ihn immer. Ach, mein Liebster, plötzlich sah ich den Mann durchschimmern, der er einst war – und dann wieder, was aus ihm geworden war.

Sein Blick und dieser Schimmer, den ich von ihm erhascht hatte, führten dazu, dass ich mich nur schwer auf meine Arbeit konzentrieren konnte. Ich fand deshalb eine Entschuldigung und fuhr zum Krankenhaus zurück. Dort war er nicht. Aber die Untersuchung war längst abgeschlossen. Auf die Frage, ob sie wüssten, wo er war, bekam ich nur eine verneinende Antwort, das war alles. Wo beginnt man die Suche in einem Wirrwarr von Fluren? Ich ging aufs Geratewohl los und hatte nach zwei Versuchen Glück. Dort, in einem Labyrinth von Krankenhausfluren, fand ich ihn. Allein. Fast weinend vor Verzweiflung. Sein Gesicht, als er mich sah …

Wut und Verzweiflung ergriffen mich; beide brachen hervor, als ich schließlich die Schwester fand, die ich wegen des Rücktransports instruiert hatte. Sie bedauerte es, hatte so viel zu tun gehabt, aber ihm den Weg nach draußen erklärt …

Zu Hause fand sich Richardt außerhalb des Gartentors nicht mehr zurecht.

Sonntagvormittag. Frühjahrsputz im Garten. Die Sonne wärmte den Rücken schon gut, als ich gebeugt über den Beeten stand, in denen die ersten Tulpen mit den Schneeglöckchen und Krokussen um ihren Platz wetteiferten.

»Könntest du mir die Harke holen? Ich habe sie vor dem Haus vergessen.«

Ich sah ihn mit dem Hund an den Fersen losgehen. Er machte heute einen zufriedenen Eindruck, die Wochenenden gelangen immer besser als die Werktage. Es tat wahrscheinlich gut, nicht allein sein zu müssen.

Nach einer Weile hörte ich den Hund bellen – aber nicht vor dem Haus. Dort fand ich die Harke, aber keinen Mann und keinen Hund. Die beiden standen am Ende des Weges, Richardt mit Verzweiflung im Gesicht und einer unbekannten Harke in der Hand, der Hund um ihn herumtanzend, während er wie besessen bellte. Versuchte der Hund, Richardt mitzunehmen? Oder auf sich aufmerksam zu machen? Froh waren sie beide, als sie mich sahen – doch für die Harke fand ich keinen Besitzer.

Und wir waren 25 m vom Gartentor entfernt.

Ich frage mich, ob einer unserer Nachbarn noch immer eine Harke vermisst.

Wie einsam man doch sein kann inmitten eines pulsierenden Lebens! Umgeben von Menschen fühlten wir uns isoliert. Das Gefühl der Einsamkeit verstärkt sich dann noch mehr. Wie gern hätten wir jemanden gehabt, der uns verstand, der die Probleme nachvollziehen konnte, der uns eine Stütze war. Doch wo sollte ich so jemanden finden? Ich wusste doch gar nicht, worum ich bitten sollte, nach wem ich fragen sollte. Ich wusste nicht einmal, ob ich etwas zu fragen hatte. Zuerst musste ich eine Institution finden, an die ich mich wenden konnte. Aber wo? Und was sollte ich dort sagen? Dass ich einen Mann habe, der sich so merkwürdig verhält, und dass mir niemand sagen kann, warum? Dass alle Untersuchungen ergeben, dass ihm nichts fehlt, dass er sich aber nicht mehr daran erinnern kann, was ihm vor einer Stunde erzählt worden ist? Dass ihm die Worte fehlen, dass er nicht weiß, wie er sein Essen schneiden soll oder wie er mit Messer und Gabel umzugehen hat? Dass er nicht mehr weiß, dass er seine Hose öffnen muss, bevor er auf die Toilette geht, dass er nicht weiß, wie er mit einer Zahnbürste umgehen muss, dass er sich Socken über die Füße ziehen muss …?

Hilft uns denn keiner?

Lieber Gott – lass sie bei der letzten Untersuchung einen Hirntumor finden!

Sie fanden keinen.

Doch wir sollten um Viertel vor zehn bei der Ärztin in der neurologischen Poliklinik sein, um das Ergebnis der letzten Untersuchung zu erfahren. Um viertel nach zehn saßen wir noch immer auf dem Gang und warteten, ohne dass jemand von uns Notiz nahm.

Wir waren an diesem Morgen früh aufgestanden, hatten uns ein ordentliches Frühstück gemacht und fühlten uns wohl wie Marie Antoinette an dem Tag, als sie zum Schafott geführt werden sollte: gefasst und noch immer mit einer leisen Hoffnung auf Begnadigung.

Die Stimmung am Frühstückstisch war eine Mischung aus hysterisch gehobener Heiterkeit und tiefer Depression. Wir fühlten, dass dies die allerletzte Hoffnung war, dass etwas getan werden konnte. Wenn überhaupt etwas getan werden konnte.

Um fünf vor halb elf kam die Ärztin, nickte kurz und bat uns einzutreten. Kein Wort der Entschuldigung oder des Bedauerns wegen der Wartezeit. Ach, es ging ja nur um unser Leben.

Sie bat uns, Platz zu nehmen. Ich setzte mich ein wenig in den Hintergrund, Richardt setzte sich auf den Patientenstuhl. Doch ständig wandte sich die Ärztin an mich, über Richardts Kopf hinweg, und erklärte, dass sie keine klinischen Ursachen gefunden hatten, wie sie es ausdrückte. Somit konnten auch sie nichts tun. Punkt. Schluss.

War es einfach nur das? Nichts weiter? Was jetzt? Auf direktes Nachfragen konnte die Ärztin berichten, dass Richardt zur Gedächtnisklinik überwiesen werden sollte, aber auf die Frage, worum es dort ginge, wurde sie unsicher. Eine richtige Erklärung bekamen wir nicht. Aber den Termin mussten wir uns selbst besorgen, und mit langer Wartezeit war zu rechnen, etwa drei Monate.

Alles spielte sich über Richardts Kopf hinweg ab, aber sie gab ihm die Hand, als wir gingen.

Fünfzehn Minuten hatte sie sich für uns Zeit genommen. Fünfzehn Minuten, um unser Leben in Schutt und Asche zu legen.

Während wir über die Krankenhausflure gingen, nahmen wir uns an den Händen. Die Stille war ohrenbetäubend.

Was sollten wir jetzt tun? Abgesehen davon, zur Gedächtnisklinik zu finden? Die Hoffnung war uns genommen worden, geblieben war die Depression. Und wir standen noch immer allein da mit unseren Schwierigkeiten.

Gemeinsam mit einigen Freunden reisten wir nach Kreta.

Geplant war es schon lange, aber ich wagte nicht, daran zu glauben, bevor wir im Flugzeug saßen. Es klappte besser, als ich je zu hoffen gewagt hätte. Einige Anzeichen von Unruhe und Schwierigkeiten schmetterte ich brutal ab, indem ich Richardt versprach, mit ihm die restlichen Tage im Hotelzimmer zu verbringen oder das Flugticket noch am selben Tag umzubuchen. Dies beeinflusste ihn auf wundersame Art und Weise, sodass Panik und Depressionen nicht die Oberhand gewannen.

Ich, die glaubte, dass jede Veränderung in Richardts Leben weitere Komplikationen mit sich brächte, erlebte genau das Gegenteil. Es klappte so gut, dass ich hinter dem Patienten wieder meinen Liebsten durchschimmern sah. Erstmals seit langem schafften wir es, in jeder Hinsicht Freunde zu sein – ungeachtet dessen, dass ich ihn abends ausziehen und morgens wieder anziehen musste.

Es war nur ein kurzer Windhauch, eine kleine Verschnaufpause im Leben. Zu Hause angekommen, konfrontierte uns der Alltag mit all seinen Schwierigkeiten, seiner quälenden Einsamkeit und der fehlenden Unterstützung. Die Depressionen überwältigten uns beide, die Gereiztheit wurde immer stärker, und als Folge wurde Richardt immer unglücklicher. Seine Tage wurden lang, öde und inhaltslos.

Wir hatten das Telefon so programmiert, dass er – ganz gleich welche Taste er drückte – direkt mit mir im Büro verbunden wurde. Ansonsten musste er die richtige Nummer wählen.

Nicht selten war es am anderen Ende still, wenn ich den Hörer abnahm. Aber ich sah auf dem Display, dass von zu Hause aus angerufen wurde, und wusste, dass es Richardt war.

»Hallo, mein Schatz, bist du's?«

Keine Antwort.

»Ich weiß, dass du's bist. Möchtest du etwas?«

Nach wie vor keine Antwort.

Dann wurde aufgelegt.

Was meinte er? Was wollte er? Vielleicht wollte er ja gar nicht mich sprechen?

Als ich zurückrief, bestritt er, dass er angerufen hatte.

Oder ich hörte nur sein Weinen. Schmerzerfülltes, qualvolles Weinen.

Nachdem Richardt krank geworden war, entschloss ich mich, den Führerschein zu machen, den ich früher nie hatte haben wollen. Das machte es einfacher, mitten am Tag kurz nach Hause zu fahren, wenn ich solche Anrufe bekam.

Oder wenn er mir sagte, dass »es lief«, aber nicht erklären konnte, was oder wo.

Dann war es auch gut, schnell nach Hause zu kommen, um den Wasserhahn zuzudrehen, den er nicht hatte schließen können.

So konnte es nicht weitergehen, weder für Richardt noch für mich. Sogar Spaziergänge konnte er nicht mehr machen, weil er Angst hatte, nicht mehr zurückzufinden. Und so musste ich Anlauf nehmen, tief einatmen und im Laden um die Ecke erzählen, dass Richardt krank war und manchmal Probleme hatte, sich verständlich zu machen. Es war schwer für mich, es zu erzählen, doch die Verkäuferinnen waren froh darüber. Richardt war dort gewesen und hatte Dinge gesagt und getan, die ihnen etwas fremd gewesen waren, wie sie sagten. Nachdem ich mit ihnen Kontakt aufgenommen hatte, begleiteten sie ihn auch einige Male nach Hause.

Es wurde ein schmerzhafter Schritt, ein Meilenstein, aber er machte es leichter, die Nachbarn von nebenan ein wenig über die Probleme in Kenntnis zu setzen.

»Ich habe mich schon gewundert, aber mich nicht getraut zu fragen«, sagte der Nachbar und erzählte, dass ihnen klar geworden sei, dass etwas nicht stimmte, als Richardt ihn eines Tages, als er draußen im Garten beschäftigt war, überschwänglich begrüßt hatte – ganze drei Mal. Jedes Mal genauso überrascht und herzlich.

Manche Tage waren besser als andere. Dann gelang es Richardt, etwas von seinem alten Ich wiederzufinden. Sah ich ihn zusammen mit dem Hund oben auf der Anhöhe stehen und auf mich warten, wenn ich von der Arbeit nach Hause kam, merkte ich, wie mein Herz vor lauter Freude einen Sprung machte.

Doch die guten Tage waren selten und von den schlechten gab es so viele. Und es wurden immer mehr. Ich war nicht mehr im

Stande, weiter allein damit zurechtzukommen. Wir brauchten Hilfe. Ich, um entlastet zu werden. Er, weil er mehr benötigte, als ich überhaupt geben konnte. Nur wen? Und wo? Es musste doch eine Institution oder einen Menschen geben, der etwas tun konnte. Freiwillig oder gegen Bezahlung. Wenn es doch bloß einen Ort gäbe, zu dem er täglich für ein paar Stunden gehen könnte, oder jemanden, der zu uns nach Hause käme! Um mit Richardt spazieren zu gehen, mit ihm in ein Café zu gehen, in eine Vormittagsvorstellung im Kino, eine Ausstellung oder einfach nur für eine Tasse Kaffee am Küchentisch, damit Richardt etwas hatte, auf das er sich freuen konnte, auf das er wartete. Etwas, das seinem Leben wieder ein wenig Inhalt gab. Und ich somit ein paar Stunden zur Ruhe kam und einen Moment hatte, vor dem ich keine Angst zu haben brauchte.

So begann also die Suche nach Mitmenschen – nach Einzelpersonen oder Organisationen. Ich rief Seniorentreffs an, das Arbeitsamt, humanitäre Hilfsorganisationen, ich schrieb sogar einen Leserbrief in einer Illustrierten. Ich nahm mit Selbsthilfegruppen Kontakt auf, mit staatlichen Behörden, überall, wo ich auch nur die geringste Chance vermutete.

Doch ich fand nichts.

Ich traf viele nette Menschen, mitfühlende Menschen, einige engagierte Menschen, aber es half uns kaum. Das Ergebnis war immer das gleiche: nichts.

Richardt war entweder zu krank – oder nicht krank genug. Wie oft bekam ich zu hören, dass er in das Konzept nicht passte, dass das, was sie anbieten konnten, »nichts für ihn war«. Und außerdem: »Das hört sich doch an, als ob er auch allein gut zurechtkäme.«

Denn wir wünschten uns keinen großen Hilfsapparat, wir wünschten uns ganz einfach menschliche Mitmenschen.

Weshalb ging ich nicht direkt auf die zu, die uns am nächsten standen – Freunde und Familie? Die mit eigenen Augen hätten sehen müssen, dass wir Hilfe brauchten – so sie denn sehen wollten. Die ich gezielt hätte fragen können. Vielleicht traute ich mich nicht. Tief in mir hatte ich Angst vor den Antworten – Angst vor dem Ausgang. Würde ich mit dem Gefühl des Versagens, der Enttäuschung, der Niederlage umgehen können, wenn auch dies zu nichts führte? Oder hatte ich Angst davor, die Menschen zu verlieren, die ich doch trotz allem in meinem Leben brauchte? Die menschliche Natur ist irrational, das war mir klar.

Ich teilte das Leben also in zwei Hälften auf: in den kranken und den gesunden Teil.

☆

Wieder Sommerurlaub. Die Möglichkeiten waren begrenzt. Sollten wir zu Hause bleiben? Nein, wir einigten uns darauf, dass wir das nicht wollten. Trotz der Krankheit war es wichtig zu leben, und wir fanden eine gute Lösung, wie wir meinten: Zug und Postschiff, mit einigen Hotelaufenthalten zwischendurch. Und es wurde ein voller Erfolg. Richardt blühte auf, sein Gemütszustand besserte sich, die Depressionen hielten sich in Grenzen. Es half, von zu Hause wegzukommen, und es half auch, 24 Stunden am Tag zusammen zu sein.

Bei der Abreise, frühmorgens auf dem Bahnhof, war es genauso hektisch und aufregend, wie es vor einer langen Reise sein sollte, und ich spürte Vorfreude und Erwartung als ein kribbelndes Gefühl im Bauch. Einfach herrlich! Ich konnte mich nicht daran erinnern, wann ich zuletzt dieses Gefühl gehabt hatte. Die Zugfahrt über den Fjell bei strahlendem Sonnenschein war eine wunderbare Erfahrung.

Auf dem Postschiff hatten wir ein Erlebnis, das gleichzeitig schmerzhaft und schön war: Nicht jeder Tag an Bord war genauso inhaltsreich wie der andere, manchmal hatten wir auch etwas Regen. Da fanden wir im Schiffsinneren auf einem Tisch ein Kartenspiel. Früher war Richardt ein begeisterter Bridgespieler gewesen, ich selbst hatte es nicht viel weiter als bis zum Bauernbridge gebracht, und jetzt spielten wir unsere eigene Variante von Mau-Mau. Stark vereinfacht. Ein junges Paar ging an uns vorbei, und plötzlich fragte der junge Mann: »Können wir mitspielen?« Ich merkte, dass mir der Atem stockte, der Kopf nicht mehr arbeitete, der Herzschlag aussetzte – was sollte ich antworten? Sie würden doch ziemlich schnell merken, dass das, was wir taten, nicht als Kartenspiel bezeichnet werden konnte. Alles in mir protestierte dagegen, Schwächen gegenüber Unbekannten zu zeigen.

Ich weiß nicht, was mich letztlich zu meiner Antwort bewog: dass es nett wäre, wenn sie möchten, dass wir dann aber auf unsere Weise spielen müssten. Mein Mann sei nämlich krank, habe Probleme mit der Konzentration, und das Spiel sei entsprechend angepasst. Ich hörte, dass meine Stimme zitterte.

Zum ersten Mal hatte ich gegenüber vollkommen fremden Menschen die Dinge beim Namen genannt. Sogar gegenüber so jungen wie den beiden.

Sie nahmen es spielend leicht auf.

Es wurde eine angenehme Stunde, während Regen und Gischt an die Scheiben peitschten. Das Kartenspiel wurde ein vollkommener Reinfall, doch das machte nichts, das Gespräch verlief lebhaft. Richardt erzählte von seinem Leben als Bridgespieler, damit hatte er keine Probleme. Er konnte große Bridgewettbewerbe und alte Reizungen ins Gedächtnis zurückrufen.

Ein neuer Meilenstein war überschritten.

Wieder zu Hause. Neuer Alltag und die Gewissheit, dass dies unser letzter Erlebnisurlaub war. Es wurde zu anstrengend, zu schwierig. Im Laufe der Reise war Richardt immer erschöpfter geworden und hatte deshalb immer größere Schwierigkeiten, sich zu konzentrieren. Für mich war die Fahrt immer mehr zur harten Arbeit geworden, statt Urlaub zu sein. Ich hatte mich um alle praktischen Reiseaufgaben kümmern müssen und war gleichzeitig Pflegerin – physisch und psychisch.

Diese Änderung im Krankheitsverlauf, die, wie ich glaubte, von den Anstrengungen der Reise herrührte, blieb bestehen, auch als wir wieder zu Hause waren. Zusätzlich benötigte Richardt immer öfter körperliche Hilfe.

Bevor ich morgens zur Arbeit ging, kochte ich ihm Kaffee, stellte die Kaffeekanne und einige Scheiben Brot zum Frühstück auf den Tisch sowie einen weiteren Teller für das Mittagessen. In erster

Linie tat ich es, weil ich mich nicht darauf verlassen konnte, dass er Herdplatten und Kaffeemaschine ausschalten würde, doch auch deshalb, weil ich bemerkt hatte, dass er nicht aß, wenn nichts für ihn vorbereitet war.

Das Entsetzen war groß, als ich eines Tages nach Hause kam und feststellte, dass Richardt sich weder gewaschen noch angezogen hatte. Als ich ihn darauf ansprach, verstand er nicht, was ich meinte.

Mein Liebster, der stets korrekt gekleidet gewesen war! Immer so penibel mit seinem Körper und seiner Kleidung!

Als ich Richardt das erste Mal im Bad vor dem Spiegel gesehen hatte, mit dem Rasierapparat in der Hand und vollgeschmiert mit Zahnpasta, hatten wir beide darüber gelacht. Jetzt konnte ich nicht mehr lachen, geblieben waren Tränen und Schmerz.

Wenn Richardt tagsüber allein zu Hause war, ging alles noch schlechter. Jetzt musste uns jemand helfen. Erneutes Herumtelefonieren. Dieses Mal ging ich zielgerichteter vor. Obwohl es seinem Alter nicht entsprach, hatte er deutliche Demenzsymptome – Krankheitssymptome, die man eher bei älteren Menschen findet als in seiner Altersgruppe. Nach erneuten erfolglosen Gesprächen mit dem Ministerium und verschiedenen Sozialverbänden nahm ich deshalb mit einem ehemals privaten Krankenhaus, in dem vor allem ältere Menschen behandelt wurden, Kontakt auf, und endlich hatte ich Glück. Eine nette, mitfühlende Dame in der Zentrale hörte sich meine Geschichte an – ihre Telefondrähte müssen am Ende geglüht haben –, und sie musste die Hoffnungslosigkeit und Verzweiflung in meiner Stimme bemerkt haben. Sie verwies mich an einen Herrn, der vor Ort arbeitete und von dem sie wusste, dass er sich für die Angehörigenarbeit engagierte, wie sie es nannte.

Er tat es. Und er konnte mir einen Namen und eine Telefonnummer geben, wo man nach seiner Meinung Hilfe bekommen konnte.

Ich weiß nicht, ob ich mich richtig bei ihm bedankte; er hätte eigentlich wissen sollen, dass er mich vor einem psychischen Zusammenbruch bewahrte.

Es gab also ein Hilfesystem. Weshalb hatte mir niemand vorher etwas davon erzählt? Wir waren von Arztpraxis zu Arztpraxis gegangen, von Wartezimmer zu Wartezimmer, von einer Abteilung zur anderen im größten Krankenhaus der Stadt. Welche Rolle spielte es denn, ob die Krankheit einen Namen bekam oder nicht? Richardt hatte die gleichen Probleme wie Menschen mit einer Diagnose – *wir* hatten die gleichen Probleme. Nie hatte uns jemand gefragt, wie wir zurechtkamen, wie unser Alltag aussah!

Die Telefonnummer, die ich bekommen hatte, führte mich genau in die Arme des ersten Menschen, der es auf sich nahm, vieles für uns zu regeln; der erste, der mir ein wenig Verantwortung abnahm.

Die Dame besorgte uns für die Gedächtnisklinik einen Termin in zwei Wochen, auf den wir drei Monate hätten warten sollen. Danach vermittelte sie den Kontakt zu einer Psychologin – und blieb auch weiterhin mit uns in Kontakt.

Ich hatte in der letzten Zeit viel geweint, aus Mitleid und Selbstmitleid, aus Angst vor der Zukunft, aus Furcht vor der Gegenwart, aber ich hatte noch nie so geweint wie an dem Tag, an dem sie mich anrief, nachdem ich ihr unsere ganze Leidensgeschichte erzählt hatte – wie schon so oft. Sie versprach, in einigen Stunden zurückzurufen – was ich auch schon so oft gehört hatte –, und dann tat sie es wirklich – mit einem fertigen Konzept, dem Termin beim Arzt und dem Termin bei der Psychologin.

Hiernach begann für uns eine neue Zeitrechnung.

Jetzt ging alles sehr schnell. Der Arzt in der Gedächtnisklinik, ein Experte auf seinem Gebiet, nahm gründliche Untersuchungen vor, brauchte allerdings nicht lange, bis er die Diagnose stellte. Und er zweifelte nicht: Im Alter von 52 Jahren erhielt Richardt die Diagnose Alzheimer-Krankheit.

KAPITEL 3

Tief in mir war trotz allem eine unrealistische Hoffnung auf ein Wunder …

Wieder gingen wir Hand in Hand über einen Krankenhausflur – in Schweigen gehüllt, von Stille umgeben, und doch hat sich jede Bewegung auf dem langen Flur tief ins Gedächtnis geprägt.

Die Krankenschwester, mit der wir beinahe zusammengestoßen wären, als sie aus der Tür kam, ihr Lächeln und ihr Versuch, einen Scherz zu machen, den sie dann abbrach. Unsere Gesichter verrieten wahrscheinlich, wie uns zumute war …

Die junge Frau am Kopiergerät – sie sollte die Originale besser andersherum legen, dann würde sie sich Arbeit ersparen …

Die Farben des frisch gebohnerten Fußbodens …

Weshalb beschäftigten mich diese Dinge genau zu dem Zeitpunkt, als unsere schlimmsten Befürchtungen bestätigt wurden? Als das Leben für uns zu Ende war?

Alzheimer – eine Krankheit ohne Hoffnung.

Ich hatte bereits mehrmals mit dem Arzt gesprochen, bevor uns die endgültige Diagnose mitgeteilt wurde. Schon nach den ersten Untersuchungen hatte er einen Verdacht und setzte mich davon in Kenntnis, um mich auf die mögliche Diagnose vorzubereiten. Ich hätte eigentlich nicht überrascht oder geschockt sein dürfen. Doch die Hoffnung, er würde sich irren, die Hoffnung, die ich nicht aufgeben wollte: Jetzt war sie mir genommen worden.

Wie ging es Richardt? Verstand er, was dies bedeutete? Wusste er etwas über diese Krankheit? Ja – und nein, glaube ich. Genau diese Krankheit hatten wir nie beim Namen genannt, nie darüber gesprochen, dass sie die Ursache sein könnte, aber ausführlich darüber geredet, dass es etwas Ernstes war. Dass er wahrscheinlich eine Krankheit hatte, mit der er bis zu seinem Lebensende zurechtkommen musste, dass wir es aber schaffen würden. Zusammen würden wir es schaffen.

Auf unserem Weg vom Krankenhausgelände in Richtung Stadt sprachen wir nur wenig. Es herrschte strahlender Sonnenschein an dem Tag, an dem das Urteil fiel, an diesem Tag, der schwarz wie die Nacht und voll Blitz und Donner hätte sein müssen. Doch er war es nicht. Als wir herauskamen, war es noch immer ein schöner Tag. Wir gingen ein Stück zu Fuß. Ich fand, es tat gut.

»Möchtest du eine Tasse Kaffee trinken, wollen wir uns ein Café suchen und uns dort ein wenig hinsetzen, bevor wir nach Hause fahren?«

Keine Antwort, nur verneinendes Kopfschütteln.

»Wollen wir gleich nach Hause fahren?«

Dieses Mal bewegte er nicht einmal den Kopf.

Wir suchten uns ein Taxi, die Heimfahrt dauerte nicht lange. Während der Fahrt bemerkte ich, dass er meine Hand drückte, doch noch immer sagte er kein Wort.

Sollte ich reden, oder sollte ich ihm die Initiative überlassen? Ich ging in die Küche, setzte den Kaffee auf, holte etwas zu essen. Er liebte Kuchen, vor allen Dingen frische, selbst gebackene Rosinenbrötchen, musste aber darauf achten, nicht zuzunehmen. An Selbstdisziplin fehlte es ihm dazu nicht. Während ich in der Küche stand und das Gebäck in eine Schale legte, ging mir plötzlich durch den Kopf: Jetzt kann er jeden Tag Rosinenbrötchen essen, wenn er will …

Als ich ins Wohnzimmer kam, saß er auf dem Sofa, nicht im alten Sessel, und Tränen liefen ihm über das Gesicht. Lautlose Tränen, lautloses Weinen.

»Jetzt werde ich nur noch dahinvegetieren.«

Nichts anderes, nichts weiter – nur dies. Dann trank er seinen Kaffee.

Er erwähnte es nie wieder.

Was wusste er über das, was ihm bevorstand? Was wusste er über die Krankheit? Wir hatten viel miteinander gesprochen, immer Probleme gelöst und versucht, den Alltag und das Miteinander zu bewältigen, aber wir hatten es nicht geschafft, mit den Gesprächen in die Tiefe zu gehen. Ich hatte große Angst davor, ihn zu verängstigen, zu negativ zu sein. Angst vor der Wahrheit. Außerdem wusste ich nie, wie er reagieren würde. Auch davor hatte ich Angst, nicht meinetwegen, aber ich wollte einfach sein Leben nicht noch schlimmer machen, als es schon war. So hatte ich gedacht. Und bisher hatte ich niemanden, mit dem ich mich darüber austauschen konnte. Niemanden, der mir sagen konnte, was ich tun sollte, mir einen Rat geben konnte. Wie konnte ich wissen, was richtig war? Ich konnte nur meiner eigenen Intuition folgen – wozu sie in einer emotional aufgeladenen Zeit auch immer wert war.

Kurz nachdem ich Richardt kennen gelernt hatte, erzählte er mir von seiner Kindheit und seinen Familienverhältnissen. Von der kleinen Familie, die so fest zusammengehalten hatte, von der Sorge um den Vater, der in jungen Jahren Boxer gewesen war und sich dabei Verletzungen zugezogen hatte. Verletzungen, die sich erst später im Leben zeigten. Kopfverletzungen, die dazu führten, dass er sich plötzlich eigenartig benahm und sein restliches Leben in einer Institution verbrachte und niemanden wiedererkannte. Sein Vater starb mit Mitte 50 …

Wie dachte er jetzt darüber? Ich versuchte später einmal, kurz darauf einzugehen, doch er griff den Faden nicht auf, und ich tat es dann auch nicht noch einmal.

Aber ich wollte über seine Herkunft, über die Krankheit des Vaters gern mehr wissen. Als ich Richardt kennen lernte, lebte seine Mutter nicht mehr, und Geschwister hatte er nicht. So nahm ich jetzt Kontakt mit seiner früheren Frau auf. Erwartungsgemäß war sie anfangs etwas reserviert, doch über ihre Kinder wusste sie natürlich, wie es um Richardt bestellt war, und wollte gern helfen. Auch sie hatte nie seinen Vater getroffen, er war verstorben, bevor sie ihn kennen lernen konnte, doch ich bekam von ihr alle Informationen, die sie hatte, und konnte mir dadurch ein besseres Bild machen. Richardts frühere Frau erkundigte sich, ob es für ihn hilfreich wäre, wenn sie miteinander redeten. Wir einigten uns darauf, dass sie ihn anrufen und er es selbst entscheiden sollte.

Er besuchte sie einige Male und machte einen zufriedenen Eindruck, erzählte allerdings nie, worüber sie gesprochen hatten, und ich fragte ihn auch nicht danach.

Die Krankheit hatte einen Namen, und wir entschieden uns, ihn zu gebrauchen, uns selbst gegenüber und auch gegenüber unserer Umgebung. Es erforderte große Überwindung, doch nachdem wir es ein Mal getan hatten, wurde es einfacher.

Obwohl es bedeutete, alle Hoffnung aufzugeben, empfanden wir es als eine Erleichterung im Alltag, die Krankheit beim Namen zu nennen. Jetzt wussten wir eher, was uns erwartete, und unsere Umgebung konnte es besser verstehen. So hätte es jedenfalls sein sollen.

Der Kontakt, den wir mit der Psychologin und anderen Experten bekommen hatten, war ein Segen, ein Rettungsfloß auf aufgewühlter See. Endlich hatte ich jemanden, bei dem ich mir Rat holen konnte.

Zu Fortbildungszwecken war ein Videofilm über die Alzheimer-Krankheit gedreht worden. Auf sehr verständliche Art und Weise wurde darin das Alltagsleben der Patienten und Angehörigen geschildert und gleichzeitig ein Eindruck von den emotionalen Belastungen vermittelt, denen wir ausgesetzt waren, wir, die in eben dieser Situation waren. Ein ergreifender, aber kein dramatischer Film, den wir uns ausleihen durften.

Nachdem ich mit der Psychologin Rücksprache gehalten hatte, entschied ich mich, dass der Film eine gute Möglichkeit wäre, enge Freunde und Familienangehörige zu informieren. Wir umgingen die emotionale Konfrontation, sie konnten den Film zu Hause in vertrauter Umgebung anschauen, hatten Zeit zum Verarbeiten, zum Diskutieren, und er würde es ihnen eventuell später einmal erleichtern, mit einer unbekannten Situation besser umzugehen. Und für uns wäre es viel einfacher zu wissen, dass sie es wussten. Es wäre eine Bestätigung, dass sie verstehen wollten.

Ich gab den Film deshalb weiter mit der Bitte, sich untereinander zu einigen, ob sie ihn gemeinsam oder jeder für sich anschauen wollten. Das Praktische sollten sie selbst regeln.

Nach sehr, sehr langer Zeit erkundigte ich mich nach dem Verbleib des Films und bekam ihn schließlich zurück, begleitet von schwachen Ausreden. Nicht einmal alle Familienangehörigen hatten ihn sich angeschaut.

Einige hatten keine Zeit gehabt, andere waren nicht imstande gewesen, ihn sich anzusehen. Dies betraf natürlich nicht alle, aber doch enttäuschend viele.

Nicht selten bekam ich zu hören: »Ich hätte wegen meiner vielen Arbeit gar nicht die Zeit gehabt, mich so um ihn zu kümmern.«

Oder andere sagten: »Ich bin so empfindlich. Ich bin so ein Gefühlsmensch. Ich hätte es nie ertragen.«

Wie konnten sie sich erlauben, mir so etwas zu sagen? Wie konnten sie es wagen anzudeuten, dass ich weniger wert war als sie? Dass ich keine Gefühle hatte? Dass mein Leben nicht so wichtig war? Dass meine Arbeit nicht so wichtig war? Wie konnten sie glauben, dass ich dafür besser gerüstet war?

Denn so fasste ich ihre Worte auf, obwohl sie meinten, mir ein Kompliment zu machen.

Ich hatte einen Lebensgefährten, der krank war, todkrank, und ein Leben, das im Begriff war, zugrunde zu gehen. Wir benötigten dringend Unterstützung, Freunde, die uns verstanden, Menschen, die helfen konnten. Praktisch und geistig.

Wir hatten diese Unterstützung. Einige Menschen wichen uns nicht von der Seite. Einige zeigten, dass sie viel zu geben hatten, aber diese Hilfe kam nicht immer aus der Richtung, aus der ich sie erwartet hätte.

Wir hatten großartige Kinder, die – nachdem es ihnen anfänglich schwer gefallen war, die neuen Umstände zu akzeptieren – stark wurden, zu stark vielleicht, und Verantwortung für eine Situation übernahmen, in der sie nicht hätten sein sollen. Junge Leute, unsere eigenen und deren Partner, die Richardt zum Pizzaessen mitnahmen, zu Fußballspielen – zu all dem, was er gerne tat –, obwohl sie nie wussten, welche Überraschungen auf sie warteten. Im Großen und Ganzen ging es gut, glaube ich. Sie hätten es mir ohnehin nicht erzählt.

Sie, die ihn nie aus den Augen verloren, die einfach halfen, wo es nötig war. Er fühlte sich wohl in ihrer Gegenwart, und ich konnte mich einen Augenblick entspannen, wenn sie da waren.

Eines Sonntagmorgens, als wir gerade beim Frühstück waren, klingelte das Telefon. Es war ein rauer, klarer Herbsttag, die Sonne schien am stahlblauen Himmel.

»Wie lange braucht ihr, euch für einen Waldausflug fertig zu machen?«

Waldausflug? Wir?

»Das Wetter ist so schön, viel zu schön, um drinnen zu sitzen. Wir kommen und holen euch ab. Den Picknickkorb haben wir dabei. Ihr braucht nur an passende Kleidung zu denken, mehr braucht ihr nicht. Wir wollen auch gar nicht weit gehen, nur mal raus in eine andere Umgebung.«

Wir liefen nur ein kurzes Stück, mehr schaffte Richardt nicht. Aber die Umgebung war herrlich, Essen und Kaffee schmeckten himmlisch nach Wald und Moos. Die Sonne wärmte noch immer ein wenig, doch am meisten wärmte es uns das Herz, dass sich gute Freunde die Zeit genommen hatten, uns das Leben ein bisschen schöner machen zu wollen, ohne auf ihr eigenes hektisches Leben zu achten. Sie verzichteten sogar auf eine ausgiebige Pilzwanderung, obwohl es einer der wenigen schönen Herbsttage war.

Und auf die Einladung eines befreundeten Ehepaars hin ging es zu einer Hütte nach Südnorwegen, einer kleinen Perle in der Region. Es war zwar Spätsommer, aber wir hatten einige herrliche Tage, an denen wir Zeit zum Angeln auf offener See und zu einem Stadtbummel hatten. Richardt fühlte sich wohl, war zwar etwas unruhig, wenn er spürte, dass er bestimmte Dinge nicht meisterte, doch im Großen und Ganzen war es ein gelungener Ausflug. Und auch für mich war er sehr schön gewesen. Wir waren nur zu viert, und ich konnte mich so richtig entspannen. Ich wusste, dass ich nicht allein auf Richardt aufpassen und für ihn sorgen musste. Es waren auch andere da, die es tun konnten – und es taten. Es war eine gute Zeit.

Überraschender Besuch an einem Samstagnachmittag von einem Ehepaar aus der Verwandtschaft, das eine Weile verreist gewesen war.

»Hallo, hoffentlich stören wir nicht, aber wir haben uns schon so lange nicht mehr gesehen!«

Im Wohnzimmer schien für ein paar Nachmittagsstunden die Sonne.

Diese Art von Besuch war sehr selten geworden, aber er tat immer gut. Ich fand, dass es zunehmend schwieriger wurde, Gäste einzuladen, selbst nur wenige Gäste. Nicht nur, weil ich nach wie vor mit diesem dummen Hausfrauenstolz zu kämpfen hatte, dass Einladungen im Vorfeld große Vorbereitungen erforderten – sowohl was die Bewirtung als auch den Hausputz betraf. Das war einfach nicht immer so leicht zu bewerkstelligen, weil ich gleichzeitig Krankenpflegerin sein musste. Es war auch schwierig, Gäste einzuladen, weil es nicht möglich war, Richardts Gesundheitszustand an diesem Tag vorherzusehen. Dadurch ließen wir es einfach sein, aber es fehlte etwas. Daher tat es doppelt so gut, wenn der Besuch einfach vor der Tür stand. Wenn Richardt die ganze Aufregung im Vorfeld erspart blieb, blühte er fast immer ein wenig auf. Nach einer Weile war er zwar erschöpft, aber solange er es noch ertragen konnte, war es nett. Trotz allem waren und blieben kurze, überraschende Besuche ein schöner Traum.

Wenn nur wenige Menschen um Richardt versammelt waren, war der Umgang mit ihm leichter. Ich glaubte zwar, dass er ein Spiegelbild meiner Gefühle war, doch ich war es ebenso. Es war eine positive Symbiose, die aber auch nicht funktionieren und dann zum Teufelskreis werden konnte.

Nach wie vor konnten wir Gespräche miteinander führen. Manchmal kam es mir fast vor, als wäre es wie in alten Zeiten, doch das lag wohl eher daran, dass überwiegend ich diejenige war, die sprach – wie immer. »Hoffentlich verlerne ich nicht noch das Sprechen«, hatte Richardt in unserem früheren gemeinsamen Leben einmal gesagt, um mich zu ärgern. »Ich komme ja gar nicht zum Üben …« Dies sollte nun nicht mehr die Ursache sein.

Ich konnte genau erkennen, ob Richardt zuhörte oder nicht, ob er manchmal die richtigen Kommentare fand. Und immer noch war er mein Liebster. Er war der gleiche aufmerksame Freund, den ich schon immer hatte, er streichelte mich, machte mir Komplimente, nannte mich beim Kosenamen.

Oh, wie liebe ich dich!

Als meine Tochter Richardt von einem Termin bei der Psychologin abgeholt hatte, wohin er nun regelmäßig alle vierzehn Tage ging, hatte er sie gebeten, auf dem Nachhauseweg anzuhalten. Er wollte Blumen kaufen. Für mich. Und er kam mit einem wunderschönen Blumenstrauß nach Hause, weil ich es verdient hätte, wie er sagte.

Weinen und Lachen. Die Blumen hättest du bekommen sollen und nicht ich.

Manchmal schlug mein Herz ganz stark für Richardt, doch in einem Punkt war es anders:

Später Abend. Ich hatte Richardt bei der Abendtoilette geholfen, ihn nach oben ins Schlafzimmer begleitet und ihm, nachdem er sich hingelegt hatte, eine gute Nacht gewünscht. Ich wollte noch ein wenig aufbleiben, einen Augenblick für mich selbst haben. So sah unser Leben nun aus. Überraschend kam Richardt wieder herunter ins Wohnzimmer, obwohl ich angenommen hatte, dass er schon schlief.

»Soll das jetzt künftig unser Leben sein?«

Ich verstand sofort, was er meinte, entschied mich aber abzulenken. Ich glaubte, ich würde es schaffen, aber ich hätte wissen sollen, dass ich Richardt nicht unterschätzen durfte.

»Du weißt genau, was ich meine. Gibt es keinen Sex mehr?«

Das war eine klare Frage, die eine ehrliche Antwort forderte. Wie konnte ich ihm diese geben? Ich war schließlich nie sicher, ob er die Worte, die ich gebrauchte, überhaupt verstand. Und das war wirklich schwierig.

Die Liebe, die ich empfand, war nicht mehr die gleiche wie früher. Sie war zwar genauso tief, aber sie war anders, beruhte auf anderen Dingen. Die leidenschaftliche Verliebtheit, die ich einst gespürt hatte und die in eine ebenso leidenschaftliche Liebe übergegangen war, gab es nicht mehr. Ich schaffte es nicht, mir den körperlichen Kontakt zu wünschen, den sich Richardt wünschte und sicherlich brauchte, wenn ich gleichzeitig die Mutterrolle einnehmen sollte. Er musste genauso versorgt und betreut werden wie einst meine Kinder, als sie noch klein waren. Wie sollte ich dies mit körperlicher Anziehung vereinbaren? Ich konnte alles für ihn tun, nur das nicht.

Doch Richardt sah sich selbst als meinen Mann.

Ich brauchte nichts zu sagen. Er verstand ohne Worte. Sein Gesicht, seine Augen, die mich nur ansahen, sagten alles – bevor er sich umdrehte und wieder die Treppe hinaufging. Mit noch krummerem Rücken, noch schwereren Schritten.

Es wurde ein Abend voller Schmerz und Tränen.

Der Arzt, mit dem wir jetzt in Kontakt waren, fragte uns, ob wir neue Medikamente ausprobieren wollten. Sie waren bei uns im Land zwar noch nicht für den Verkauf freigegeben, aber er hatte sie bei einigen Patienten mit unterschiedlichem Erfolg angewendet. Auf Genesung konnten wir nicht hoffen; solche Medikamente gab es gar nicht, aber vielleicht auf eine Stabilisierung der Krankheit. Eine kleine Verschnaufpause, bevor sie voranschritt.

Was hatten wir zu verlieren? Die Medikamente waren wahnsinnig teuer, mussten in den USA bestellt und über Schweden eingeführt werden, doch wir wollten nichts unversucht lassen.

Wir konnten keine Veränderung feststellen, vielleicht ein wenig zu Beginn, aber das konnte genauso gut an Richardts tiefem Wunsch nach einer positiven Wirkung gelegen haben. Seine Krankheit nahm ihren normalen Verlauf, und nach sechs Monaten brach der Arzt diese Behandlung ab. Um die Krankheit nicht noch schneller voranzutreiben – jede psychische Belastung tat dies, und hier hätte ich ihm noch eine Hoffnung genommen –, ersetzte ich Richardts Tabletten durch Vitaminpräparate.

Doch auch hier blieb jegliche Änderung aus.

Was Richardt allerdings zu einem besseren Leben verhalf, waren die Gespräche mit seiner Psychologin in Kombination mit Antidepressiva. Schon nach kurzer Anwendung der Glückspille besserte sich sein Gemütszustand. Es schien, als würde sich seine Konzentration verbessern. Er wurde ausgeglichener, auch weil er selbst merkte, dass es mit ihm besser klappte, und wir waren uns einig, dass wir mit der Krankheit, so wie sie momentan war, leben konnten. Denn es war wichtig zu leben. Und wir hatten wenig Zeit, das hatten wir verstanden. Wenig Zeit, um uns die Erinnerungen zu schaffen, die künftig so wichtig sein würden. Wir konnten uns nicht hinsetzen und darauf warten, dass sich die Krankheit verschlimmerte, wir mussten ihr zuvorkommen.

Nach wie vor gab es viele Dinge, die wir tun konnten. Wir mussten einfach nur unsere Ansprüche ein wenig herunterschrauben.

Samstagabend. Eine ganze Freundesschar an einem großen Tisch in einem Lokal. Wir waren zuerst im Konzert gewesen und wollten danach ein Bier trinken gehen. Das Konzert war gut gewesen, der Abend war nett und die Stimmung am Tisch ausgelassen. Richardt war den ganzen Abend bei guter Laune gewesen, lachte und fühlte sich wohl, während sich einige der anwesenden Damen um ihn kümmerten und er so richtig in seinem Element war. Plötzlich waren wir mitten in einer Diskussion, in der es um einen Namen ging, an den sich niemand erinnern konnte – bis auf Richardt. Überraschtes Lachen am Tisch, woraufhin er sich an die Stirn schlug und ausrief: »Gut, dass es Alzheimer gibt!«

Ach, du mein Liebster!

Die Psychologin gab uns den Anstoß, mit dem Pflegedienst in unserem Stadtteil Kontakt aufzunehmen. Mit dem Pflegedienst? Was konnte dort getan werden? Richardt war schließlich nicht in dem Sinne krank und wohl auch noch nicht in der Situation, dass sie ihm etwas anbieten konnten. Es gab genug Geschichten von älteren Menschen, die ohne zu essen oder zu trinken allein in ihren Wohnungen saßen und trotzdem noch immer nicht pflegebedürftig genug waren. Aber die Psychologin ließ nicht locker. Selbst wenn Richardt die Dienste im Moment noch nicht in Anspruch nehmen musste, war es für uns – und für den Pflegedienst – einfacher, auf den Tag vorbereitet zu sein, an dem wir ihn brauchten.

Am Ende tat ich es, rief an und sagte, dass ich nicht so richtig wüsste, weshalb ich anrief, mir sei allerdings empfohlen worden, es zu tun. Und erzählte unsere Geschichte. Sie hörte mir zu, stellte einige Fragen und vereinbarte mit mir für den nächsten Tag einen Besuch bei uns. Selbst konnte ich an dem Vormittag nicht anwesend sein, weil ich arbeiten musste. Außerdem hielt ich es für nicht so wichtig, da ja meine Tochter zu Hause war.

Einige Tage später rief mich die Leiterin des Pflegedienstes an. Und legte mir den vollkommen ausgearbeiteten Pflegeplan vor.

Wöchentlich drei Besuche von je anderthalb Stunden Dauer. Brauchte ich Hilfe beim Ankleiden und bei der Pflege? Verneinende Antwort meinerseits. Das schaffte ich selbst. Und Baden? Die gleiche verneinende Antwort. Mein Gott, ich konnte Richardt doch nicht fremden Frauen überlassen, die sich um seine Intimpflege kümmerten! Richardt liebte zwar das andere Geschlecht, doch meiner Meinung nach kaum in einer solchen Situation. Außerdem hatten wir unsere Routinen gefunden: Baden und Ankleiden, bevor ich morgens zur Arbeit ging; das Frühstück bereitete ich für ihn vor, sodass er es zu sich nehmen konnte, wenn ich gegangen war. Für die Mittagszeit eine kleinere Mahlzeit im Kühlschrank, mit Zetteln überall, um ihn daran zu erinnern. Das gleiche Zettelsystem, das ihm mitteilte, wann ich nachmittags nach Hause kam. »Nicht die Tür öffnen, sonst läuft der Hund nach draußen!« »Daran denken, die Kühlschranktür zu schließen!« »Den Herd nicht anfassen!« Und ähnliche Zettel.

Ich bestellte für Richardt von der Firma aus ein Taxi, wenn er einen Termin beim Arzt oder seiner Psychologin hatte, ich rief ihn an, um ihn daran zu erinnern, dass er sich jetzt die Schuhe anziehen müsse, dass er sich jetzt seine Jacke anziehen müsse, und blieb so lange am Apparat, bis der Taxifahrer an der Tür klingelte.

All das erzählte ich der Frau vom Pflegedienst. Für einen Moment sagte sie nichts und fragte mich dann: »Sind Sie sich bewusst, wie krank er ist?«

Nein, ich war es vielleicht nicht und wollte es auch nicht sehen.

Die Pflegedienstleiterin benötigte ein paar Tage, um »ihre Truppen umzuorganisieren«, und bedauerte dies sehr. Richardt sollte nur mit einer bestimmten Anzahl Personen zu tun haben, die sie persönlich aussuchen würde. Was mit der Zeit das beste Angebot für ihn wäre, müssten wir später sehen. Sie bedauerte, dass sie im Moment nichts weiter für uns tun konnte.

Das Leben wurde für uns einfacher, als sich der Pflegedienst um uns kümmerte.

Hätten wir es anders einrichten können? Hätten wir die gleiche Hilfe bekommen, wenn wir schon früher diesen Weg gegangen wären? Ich weiß es nicht. Das ist Spekulation, und bislang hatten wir es auch so geschafft.

Zugestandenermaßen war es herrlich, Entlastung zu haben und zu wissen, dass das Praktische geregelt wurde, wenn Richardt Termine hatte und jemand bei ihm war. Ich scherzte damit, dass wir die einzige Familie waren, zu der der Pflegedienst zum Gassigehen mit dem Hund kam, aber es bedeutete unendlich viel für uns. Obwohl Richardt hin und wieder meinte, dass er es mit zu vielen Menschen zu tun bekam, hatte er unter ihnen dennoch seine Lieblingsbetreuerinnen. »Seine jungen Damen« waren ihm sehr wichtig. Er wurde sicherer, froher und etwas weniger deprimiert. Ich glaube, seine Betreuerinnen hielten auch sehr viel von ihm. Sie leisteten hervorragende Arbeit.

Ohne dass ich Einfluss darauf nahm, wurden es ziemlich schnell tägliche Hausbesuche.

Richardt blieb der Mann, den ich liebte. Er änderte seine Persönlichkeit nicht, obwohl ich darauf vorbereitet worden war. Einige Züge, die ich an ihm schon früher beobachtet hatte, verstärkten sich allerdings.

Die Unruhe, die in ihm war, verschlimmerte sich und ging in Angst über. Sie wurde in zunehmendem Maße stärker, und nur selten konnte Richardt beschreiben, was es war. Besonders in der Nacht quälten ihn Angstanfälle. Oft konnte ich diese mit Erlebnissen am Tag in Verbindung bringen, aber genauso oft konnte ich keine erkennbare Ursache finden. Doch ich konnte ihm über solche Anfälle hinweghelfen.

Mehrere Stunden ungestörter Schlaf – was war das? An das letzte Mal konnte ich mich nicht mehr erinnern. Nachts war Richardt häufig unruhig, während ich ein inneres Warnsystem entwickelt hatte, das mich genau dann weckte, wenn er aufstehen wollte oder wenn Unruhe und Angst mit Zuckungen in seinen Armen und Beinen begannen. Stand er auf, blieb ich mit geschlossenen Augen wach im Bett liegen und horchte. Musste er auf die Toilette? Schaffte er es allein? Bekannte Geräusche beruhigten mich. Würde er direkt zurückkommen? Hörte ich seine Schritte zum Bett kommen, schlief ich wieder ein, bevor er im Bett lag, aber es war nicht immer so einfach. Manchmal hörte ich Geräusche, die nicht in den Ablauf passten, oder ich hörte Richardt die Treppe hinuntergehen. Es war nicht einfach, die Grenze zu ziehen zwischen Überwachung und ihn den erwachsenen Mann sein zu lassen, der er war. Nachdem ich ihn eines Nachts beim Verlassen des Hauses überrascht hatte und er nur seine Hausschuhe trug, drehte ich nachts das Zusatzschloss herum und zog den Schlüssel ab. So hatten wir ein Problem weniger.

Manchmal ging er nur die Treppe hinunter, um etwas zu trinken. Dann mochte er es nicht so gern, wenn ich hinterhergeschlichen kam.

Richardt schätzte meine Hilfe mehr, wenn ihn die Angst überfiel. Ich wachte durch kleine Bewegungen neben mir auf, keine kräftigen, nur seine Hände, die er nicht ruhig halten konnte. Hatten wir Glück, hörte es wieder auf, nachdem wir bei angeschaltetem Licht ein wenig miteinander gesprochen hatten und ich ihm die Wangen gestreichelt, ihn gedrückt und an der Hand gehalten hatte.

Doch nicht immer hatten wir so viel Glück. Dann hielten seine Zuckungen an, breiteten sich von den Händen zu den Füßen aus, wurden stärker, und der Körper spannte sich an. Er rang nach Luft. Und sein Gesicht … Seine Augen, die etwas sahen, das ich nicht sah, etwas Furchtbares, ohne dass es mir möglich war, Kontakt zu Richardt zu bekommen.

Um ihn zu halten, musste ich körperliche Gewalt anwenden und heftig und pausenlos in sein Ohr sprechen. Ich hatte herausgefunden, dass es keine Rolle spielte, was ich sagte, sondern dass nur meine Stimme für ihn wichtig war. Flüstern hatte nicht die beste Wirkung, dafür leises und intensives Reden bei gleichzeitigem Streicheln über Gesicht und Körper. Wenn das Schlimmste überstanden war, musste ich ihn fest an mich drücken und dabei meine ganze Körperkraft einsetzen, bis sich seine Zuckungen gelegt hatten. Allmählich konnte ich feststellen, wie sich sein Körper beruhigte, sein Atem normalisierte und er in meinen Armen entspannte. Dann war es für diese Nacht hoffentlich vorbei …

Inmitten des Elends hatte Richardt noch die Kraft, Dankbarkeit zu zeigen:

»Was hätte ich ohne dich machen sollen?«

Sogar ein müdes Lächeln bekam ich, bevor er in tiefen Schlaf fiel. Sein Körper war sicherlich erschöpft nach einer solchen Anspannung. Ich dagegen lag wach im Bett. Oh, mein Liebster, wenn ich doch noch etwas anderes tun könnte, um dir aus deiner Hölle herauszuhelfen!

Trotz aller guten Wünsche konnte ich einen anderen Gedanken nicht unterdrücken, der sich langsam einschlich: Wenn ich doch einmal eine ganze Nacht durchschlafen könnte!

Ich wurde erhört.

Eines Abends klingelte das Telefon; ein alter Freund von Richardt rief an. Wir hatten nicht viel Kontakt miteinander gehabt, aber er war einer derjenigen, die uns näher kamen, nachdem wir von der Krankheit erzählt hatten.

»Meine Frau und ich haben darüber gesprochen, dass Sie vielleicht etwas Erholung brauchen. Sicherlich tut es Ihnen auch gut, einmal auszuschlafen. Glauben Sie, dass sich Richardt bei uns für ein Wochenende wohlfühlen würde, sodass Sie ein paar Tage für sich selbst haben? Wenn es Ihnen passt, würde ich ihn morgen Nachmittag abholen und Sonntagabend zurückbringen.«

Ob es uns passen würde?! Ich bekam kein Wort heraus und spürte einen dicken Kloß im Hals.

Die wenigen Bedenken, die ich hatte, wurden beiseite geschoben.

Schließlich ging es um Freunde aus Kindertagen, die Richardt sein ganzes Leben gekannt hatte, und um ein Zuhause, das er fast genauso gut kannte wie sein eigenes. Nachdem wir über die praktischen Dinge gesprochen hatten, ich mich verabschiedet, bedankt und Grüße an seine Frau übermittelt und er schon längst aufgelegt hatte, blieb ich noch immer mit dem Hörer in der Hand in der Sofaecke sitzen und ließ meinen Tränen freien Lauf.

Freudentränen dieses Mal.

Sonntagabend kamen sie zurück. Richardt schien sehr froh zu sein, mich wiederzusehen und wieder zu Hause zu sein, doch aus Richardts Freund bekam ich nicht viel heraus. Später erzählte er mir am Telefon, dass es schon irgendwie gegangen sei, Richardt hätte allerdings etwas Heimweh gehabt. Seine Frau und er seien allerdings geschockt, weil sie nicht geahnt hätten, wie krank er eigentlich war.

»Wie kommen Sie bloß damit zurecht?«

Zum ersten Mal bekam ich eine direkte Frage, die mich selbst betraf. Sie wärmte mein Herz.

Der ersehnte Nachtschlaf blieb aus. Mindestens hundert Mal wachte ich auf – weil die Geräusche fehlten oder mit einem Gefühl der Panik, weil Richardt nicht da war. Dagegen schaffte ich problemlos, einen ganzen Abend lang die Füße auf den Wohnzimmertisch hochzulegen und ohne Unterbrechung das Fernsehprogramm meiner Wahl zu sehen. So oder so tat es gut.

»Und wie sieht es mit Ihnen aus?«, fragte die Psychologin, die ich als Richardts Psychologin betrachtete. »Ich bin auch für Sie da, sollten Sie mich brauchen.«

Aber ich war doch nicht krank!

Ich bemerkte allerdings, dass Richardt die Sitzungen bei der Psychologin sehr gut gefielen. Er hatte wahrscheinlich eine bessere Einsicht in seine eigene Krankheit, als mir bewusst war, und es war gut für ihn, unangenehme Gedanken gegenüber einer Person zur Sprache zu bringen, die er nicht schonen musste. Außerdem half sie ihm, über einige der Ängste zu sprechen, die ihn immer wieder überfielen. Manchmal reichte es schon aus, dass er zuerst kurz mit ihr darüber sprach; seinen Gedankengang konnte er dann zu Hause fortsetzen.

☆

Die Alzheimer-Krankheit. Bei einigen Leuten führte sie zu Angstvisionen, während andere nie damit aufhörten, das Wort aus Spaß zu benutzen. Es verletzte mich mehr, als ich bereit war einzugestehen, wenn ich Menschen den Ausdruck »Alzheimer light« benutzen hörte – sogar direkt an uns gewandt, obwohl sie es eigentlich hätten besser wissen müssen.

Ich wünschte mir so sehnlich, dass die Menschen um uns herum Verständnis aufbrachten; dass sie versuchten, sich ein wenig in unsere Probleme hineinzuversetzen. Manchmal gehörte nicht viel dazu, um das Leben für uns zu verändern.

Wir gingen gern ins Theater, gehörten wohl nicht zu den treuesten Theatergängern, hatten aber oft einen ganzen Abend in der Stadt verbracht, wenn ein Theaterbesuch geplant war. Den Theaterabend verbanden wir gern mit einem schönen Abendessen und rundeten ihn mit einem Drink in einer gemütlichen Bar ab. Da es wichtig für uns war, weiterhin zu leben, und zwar nicht nur irgendwie, sondern unser Leben zu leben, bestellte ich Theaterkarten für uns. Ich wollte außerdem herausfinden, woran sich Richardt noch erfreuen konnte, und bereitete ihn also auf das Ereignis vor. Das Abendessen ließen wir sein, weil das alles zu viel geworden wäre, aber einen kurzen Barbesuch vor der Vorstellung wollte ich mir nur ungern nehmen lassen.

Es fing sehr gut an. Richardt freute sich, war bei bester Laune und sagte mir mehrmals, wie nett er den Abend fand. Einen Drink gab es nicht, dafür eine Tasse Kaffee und ein kleines Glas Cognac. Wir erzählten, unterhielten uns miteinander, und ich hatte ein gutes Gefühl. Hieran könnten wir noch öfter Freude haben. Ich war froh, diesen Vorschlag gemacht zu haben.

Bevor wir die Bar verließen, schlug ich vor, dass ein Toilettenbesuch vielleicht gar nicht so dumm wäre. Schließlich gab es immer viele Theaterbesucher mit dem gleichen Problem kurz vor der Vorstellung. Nachdem ich Richardt die richtige Tür gezeigt hatte, ging er dorthin und blieb verschwunden.

Es dauerte eine Ewigkeit, und nichts geschah. Ich wurde unruhig – Richardts wegen und wegen der Zeit, die viel zu schnell verging. Die Bar war gut besucht, der Barkeeper hatte genug zu tun, und ich hatte keine Lust, ihn um Hilfe zu bitten. Wieder diese Hemmung – aus falschem Schamgefühl? In die Herrentoilette mochte ich nicht gehen; Männer gingen rein und raus. Ich hatte das Gefühl, sie sahen mich alle komisch an. Am Ende konnte ich nicht länger warten und klopfte an die Tür: »Bist du da? Brauchst du Hilfe?«

Die Tür wurde geöffnet, und plötzlich stand Richardt mit halb heruntergelassener Hose mitten in der Bar, während er unbeholfen versuchte, die Hose am Oberhemd zu befestigen. Sein Gesichtsausdruck war so verzweifelt, dass mir Tränen in die Augen traten.

Dieses Gefühl, als ich in der Bar stand und ihn anzog …

Wenn auch nach einigem Zögern, blieben wir doch bis zum Ende der Vorstellung im Theater, aber die Freude war dahin. Bei uns beiden.

Wir mussten also mit anderen Männern zusammen sein, wenn wir außerhalb des privaten Bereichs am gesellschaftlichen Leben teilhaben wollten. Ich schaffte es einfach nicht, mehr oder weniger öffentliche Herrentoiletten aufzusuchen. Toilettengänge erwiesen sich als nicht so einfach. Es schien, als ob einige Männer die gleiche Blockade hätten, in solch einer Situation zu helfen. Junge Männer – der Sohn oder diverse Schwiegersöhne in spe – schafften es, aber gleichaltrige Männer … Als ich das erste Mal um Hilfe bat, konnte man die Verwirrung und die sinkende Stimmung der anwesenden Freunde sichtlich spüren. Dies war das erste und letzte Mal, dass ich fragte. Damit war dieser Teil des Lebens für uns vorbei.

»Deine Mutter ist fantastisch«, sagte man zu meiner Tochter, als sie noch bei einer Feier blieb, die wir vor ihr verlassen hatten. Der Äußerung stimmten alle am Tisch zu. Die lobenden Worte wollten gar kein Ende nehmen. »Warum sagt ihr es Mama nicht selbst oder zeigt es ihr auf irgendeine Art und Weise?« erwiderte meine Tochter daraufhin. Ich habe nie erfahren, wie ihre Antwort aufgenommen wurde.

Informierte ich nicht ausreichend? War ich zu sehr damit beschäftigt, unsere schwierige Situation zu verbergen, dass ich am Ende alles für uns kaputtmachte? Erwartete ich zu viel?

Aber wie weit kann man überhaupt den Schleier lüften, wenn die Hand, die ihn lüftet, jedes Mal erneut einen Schlag bekommt?

»Ich komme Mittwochvormittag mal vorbei«, sagte ein Freund von uns, nachdem ich einen der wenigen direkten Versuche unternommen und ihm erzählt hatte, wie schwer die Tage für Richardt waren, wenn er sie allein bewältigen sollte, bevor ich von der Arbeit nach Hause kam. Ich hatte ihm auch erzählt, wie schwierig es für mich war, im Büro zu sitzen und bei jedem Klingeln des Telefons ängstlich zu sein: Was könnte jetzt wieder passiert sein?

Am Mittwochmorgen bereitete ich eine extra Platte mit belegten Broten vor, kochte mehr Kaffee, stellte Tassen und Teller auf ein Tablett. Richardt wusste, was ihn erwartete, erinnerte sich an das Gespräch und freute sich auf den Besuch.

Als ich nach Hause kam, standen Essen und Tablett unberührt an ihrem Platz.

»Habt ihr nicht zusammen gegessen?«

Kopfschütteln, und ich sah, dass sein ganzer Körper ein wenig zusammengesunken war.

»Hast du denn gar keinen Besuch gehabt?«

»Nein, er hatte wohl etwas anderes zu tun.«

»Hatte wohl … Willst du damit sagen, dass er auch nicht angerufen hat?«

»Nein, das hat er wohl vergessen.« Richardts Stimme drückte Enttäuschung aus.

Und so war es auch. Es war etwas anderes dazwischen gekommen, wie sich herausstellte, als wir den Freund einige Tage später zufällig trafen und ihm plötzlich ein Licht aufging, als er uns sah.

Eine Entschuldigung bekamen wir nicht – und auch keinen neuen Besuch.

Es gab größeres Elend in der Welt als unseres.

Ein entfernter Bekannter hatte erfahren, dass er nur noch ein Jahr zu leben hatte. Eine frühere Krankheit war wieder neu aufgeflammt. Tragisch und schlimm, meinte der Freundeskreis und meinten auch wir.

Es wurde wichtig, das Leben dieses Freundes in jeder Hinsicht so inhaltsreich, unterhaltsam und schön wie möglich zu gestalten, solange er noch lebte. Selbstverständlich.

Als er im Krankenhaus lag, besuchten ihn die Freunde deshalb recht häufig. Sie machten Tagesbesuche, als er zur Rehabilitation war, und am Telefon wurde uns erzählt, wie schrecklich Leid er ihnen tat. Und so war es natürlich auch.

Merkten sie nicht, was sie zu uns sagten?

Sahen sie denn gar nicht unsere Situation?

Es tat weh, wenn ich darüber nachdachte, dass ich in einer Illustrierten eine Annonce hatte aufgeben müssen, um jemanden zu finden, der hin und wieder zu Besuch kommen würde. Und auf der anderen Seite bekam ich mit, wie Besuchsregelungen getroffen wurden und wie man sich den Kopf zerbrach, für einen anderen eine schöne Abwechslung zu finden. In unserem Freundeskreis.

Es tat weh, sich die eigene Kleinlichkeit einzugestehen.

Und es tat weh, die Bitterkeit langsam zu spüren – die Bitterkeit, die ich zu unterdrücken versuchte.

»Bist du nicht verbittert?« wurde ich manchmal gefragt. »Worüber verbittert?« überlegte ich. Dass mir die Krankheit meinen Liebsten nimmt, unser Leben zur Hölle macht, uns den Lebensabend stiehlt, uns jegliche Hoffnung nimmt? Jeder kann davon betroffen werden, niemandem kann man deshalb einen Vorwurf machen. Darüber verbittert zu sein, was manch einer sein Schicksal nennt, wirkte auf mich wie verschwendete Zeit und Energie.

Doch verbittert wegen eines Gesundheitssystems, das nicht funktionierte, wenn man es brauchte, oder über Menschen, die versagten – gegen diese Verbitterung musste ich kämpfen. Ich wollte diesen Kampf nicht verlieren. Es würde nur mich treffen, und ich wusste es.

☆

Hilf mir – zu versuchen zu verstehen.

Hilf mir – zu akzeptieren, dass der Mensch schwach ist.

Hilf mir – ehrlich gegenüber mir selbst zu sein. Wie hätte ich mich in der entsprechenden Situation verhalten?

Hilf mir.

Hilf uns.

Richardts Freude – und meine –, wenn frühere Kollegen zu Besuch kamen: Er blühte förmlich auf. Dies war eine Welt, in der er eine wichtige Rolle gespielt hatte, und er brauchte die Bestätigung dafür durch diese Besuche. Nicht immer erinnerte er sich daran, über wen sie sprachen, oder verstand, auf welche Begebenheit sie Bezug nahmen, doch es schien ihm nichts auszumachen. Seine gute Laune hielt noch lange an, nachdem sich der Besuch verabschiedet hatte und gegangen war. Wie schwierig musste es für einige Kollegen gewesen sein, Richardt so zu sehen – ihren Chef, ihn, der Verantwortung getragen und die Übersicht behalten hatte und nun einfach nur noch dasaß. Aber sie kamen wieder … und immer wieder.

»Wir haben einen Vorteil«, sagte unser bereits erwähnter kranker Bekannter zu Richardt während eines unserer seltenen Treffen. »Wir wissen, wann unser Ende kommt, das wissen die anderen hier am Tisch nicht.«

Ich hatte Sinn für schwarzen Humor und Sinn für den Versuch, das Gute an Dingen zu sehen. So war es auch mit meinem Liebsten, aber jetzt … Mit leeren, ausdruckslosen Augen in einem noch ausdrucksloseren Gesicht verbat er sich offensichtlich diese Art von Scherz. Verstand er ihn – oder verstand er ihn nicht? Oder wollte er ihn nicht verstehen?

Früher hatte ich einmal den Versuch unternommen, über unsere Zukunft zu sprechen. Und mich entschieden, es nie wieder zu tun. Ich hatte versucht herauszufinden, wie Richardt zu den Veränderungen in seinem Leben stand, die eintreffen würden – ohne dass wir den Zeitpunkt selbst kannten –, und begonnen, über die Zeit zu sprechen, in der wir nicht mehr würden zusammenleben können.

Das Ergebnis des Gesprächs tat weh.

Trotz seiner eigenen Äußerung über das Dahinvegetieren und seine Angst davor wollte oder konnte er die Wirklichkeit, die sich dahinter verbarg, nicht einsehen. Als ich davon zu reden begann, dass sich unsere Wege eines Tages trennen würden, sah er mich zuerst vollkommen verständnislos an. Aufgrund seiner Krankheit würde er mehr Hilfe benötigen, als ich selbst ihm geben konnte. Durch das Gespräch hatte ich versucht, ihm deutlich zu machen, dass ich immer für ihn da sein würde, auch wenn wir nicht immer zusammen wohnen könnten. Für mich war es wichtig, Richardt die Sicherheit zu geben, dass ich ihn nie im Stich lassen, sondern für immer ein Teil seines Lebens sein würde.

Für ihn wurde es ein Schockerlebnis. In seinem Gesicht spiegelte sich zuerst Unglaube und dann Schrecken wider. Dann kam die Verzweiflung. Und am Ende – vollkommene Leere.

Die Krankheit raste noch einen Schritt voran – und blieb dort stehen. Meinen Wunsch, über den Tod zu sprechen, von Richardt zu erfahren, welche Einstellung er ihm gegenüber hatte oder ob er Hilfe wünschte, um die Gedanken und Gefühle hierzu zu verarbeiten, musste ich begraben. Dabei wusste ich viel zu wenig über seine Einstellung.

Weihnachten kam – und ging. Weihnachten mit seiner emotional aufgeladenen Atmosphäre.

Ich hatte Weihnachten mit all seinen hektischen Vorbereitungen, dem Schmücken, den Traditionen, dem geselligen Beisammensein vor, während und nach dem Fest und mit den langen Mahlzeiten am reichlich gedeckten Tisch immer geliebt. Jetzt erkannte ich plötzlich, dass Weihnachten etwas für die Erfolgreichen war. All das

Schöne wurde doppelt negativ, wenn man nicht mehr zu ihnen gehörte. Beschämt erinnerte ich mich an meine Aussage, wenn jemand versuchte, mir davon zu erzählen:

»Was, dir gefällt Weihnachten nicht? Für mich ist es die schönste Zeit des Jahres« – ohne auch nur den Versuch zu machen zu verstehen, warum Weihnachten für so viele ein schmerzliches Erlebnis ist. Jetzt musste ich es selbst erfahren.

Nicht einmal an schönen Dingen konnte ich Freude haben. Zu unseren Traditionen gehörten die Besuche von Weihnachtskonzerten. Richardt liebte Musik, und er liebte auch Chorgesang, insbesondere Weihnachtskonzerte mit dem Knabenchor Sølvguttene. Hand in Hand saßen wir im Konzert, die Melodie von »Schönster Herr Jesu« erfüllte den großen Kirchenraum und auch uns, und wir fingen an zu weinen.

Ich kannte es schon, dass sich Richardts Augen manchmal mit Tränen füllten, aber er weinte selten, und bisher hatte ich ihn noch nie laut weinen hören. Jetzt tat er es. Die Musik bewegte etwas in ihm, das er lange zurückgehalten hatte. Er beruhigte sich relativ schnell, drückte meine Hand und gab mir sogar ein kleines, entschuldigendes Lächeln.

Nach dem Konzert begann Richardt von sich aus, über seine Reaktion zu sprechen. Er konnte die richtigen Worte nur schwer finden, war aber schließlich in der Lage zu erklären, dass er selbst nicht ganz verstand, warum es passiert war und was die Ursache dafür gewesen war, aber dass es ihm sehr gut getan habe. Ich fand, dass es eher schmerzte.

Meine eigene Depression verstärkte sich, Richardts Gemütszustand glich sich dem meinem an. Ein erschütterndes Ereignis in der Familie beschleunigte ebenfalls zunehmend das Fortschreiten der Krankheit.

»Wir müssen versuchen, ein anderes Angebot für ihn zu finden«, sagte die Leiterin des Pflegedienstes. »Wir haben nicht die Möglichkeit, ihn täglich mehr als nur ein paar Stunden zu betreuen, und das reicht einfach nicht aus. So geht es nicht mehr, weder für Sie noch für ihn. Allerdings können wir einem Mann seines Alters kaum etwas anbieten.«

Die Verzweiflung der Pflegedienstleiterin war nicht weniger groß als meine eigene.

»Ich gebe ihn nicht her«, sagte ich, »so krank ist er nicht, ganz gleich, was Sie sagen.«

Nein, das konnte sie verstehen und hatte daran auch gar nicht gedacht, sondern vielmehr an eine Tagesbetreuung. Was ich denn davon hielte? Und ich wurde eingeladen, mir den Ablauf in einer Tagesstätte mit einer speziellen Abteilung für demenzkranke Patienten genauer anzusehen.

Graue Betongebäude um einen grauen Platz, große Fenster, durch die ich entlang einer weißen Wand Stühle erkennen konnte, die in einer Reihe standen und als Wandschmuck dienten. Das war mein erster Eindruck.

Es wurde etwas besser, als ich das Gebäude betrat. Zumindest als ich an einer Reihe älterer Damen mit ihren Handtaschen auf dem Schoß vorbeigegangen war, die dort saßen und warteten. Nur worauf?

Auf der kleinen Abteilung für demenzkranke Patienten, oder Personen mit Demenz, wie ich verbessert wurde, war es sogar sehr angenehm: ein gemütlicher Aufenthaltsraum und ein kleines Esszimmer, Grünpflanzen und warme Farben an den Wänden, nette und freundliche Angestellte. Sie wussten, wer ich war, unsere Geschichte war ihnen auch schon bekannt, und sie konnten mir versprechen, dass sie sich gut um Richardt kümmern würden. Mir wurden Bilder von Veranstaltungen gezeigt, von Ausflügen und vom Alltagsleben. Insgesamt schien es ein gutes Angebot zu sein, allerdings lag das Durchschnittsalter bei 75 Jahren.

Auf dem Heimweg weinte ich und schwor mir, dass ich etwas anderes finden würde. Außerdem war Richardt hierfür wohl kaum krank genug. Oder doch?

Nach einer Woche hatte ich keine Wahl: Er hatte den Tagesrhythmus völlig durcheinander gebracht, immer häufiger Angstanfälle bekommen, die schlimmer waren als bisher, er weinte, wenn ich morgens ging, und schließlich wurde auch ich zu einhundert Prozent krankgeschrieben. Ich sah ein, dass es weder andere Angebote gab noch dass ich die Kraft hatte, sie zu finden – und nahm schließlich das Angebot an, das ich bekommen konnte.

Sie hatten es kommen sehen und waren darauf vorbereitet. Das Angebot wurde mir fertig unterbreitet, als ich das schmerzliche Telefonat führte. Richardts Betreuerinnen würden morgens weiterhin kommen und so lange bleiben, bis ihn der Kleinbus der Tagesstätte abholt. Ich bekäme eine fünfzigprozentige Krankschreibung, sodass ich rechtzeitig zu Hause wäre, wenn ihn der gleiche Bus zurückbringt. Sollte ich nachmittags mehr Hilfe benötigen, könnten wir darauf zurückkommen. Das tat gut – und weh.

»Wie können Sie sich für solche Einzelfälle so engagieren?«, fragte ich die Leiterin des Pflegedienstes. Sie war für mich zu einem Engel im Alltag geworden.

»Es gilt, sich einhundert Prozent einzusetzen, wenn man gebraucht wird«, antwortete sie. Qualitätssicherung nannte ich es.

Ich konnte die Qualität nicht ganz erkennen, als ich Richardt zum ersten Mal zum Abschied winkte und den grauen Kleinbus wegfahren sah. Der letzte Blick, den ich auf meinen Liebsten hatte, war, wie er auf seinem Platz geradeaus starrte, während er die Rückenlehne vor sich mit beiden Händen fest umklammerte und von Menschen umgeben war, die 20–30 Jahre älter waren als er. Eine junge, übersprudelnde Frau hatte ihn abgeholt und zum Bus begleitet. Mit zwitschernder Stimme wünschte sie uns überschwänglich fröhlich einen guten Morgen, sodass ich schon fast auf die Fortsetzung wartete: »Wie geht's uns denn heute?« Glücklicherweise kam es nicht dazu.

Lieber Gott, wie kannst du uns dies nur antun?

KAPITEL 4

Wir konnten so tun, als ob er nicht da wäre,
obwohl er bei uns saß – er verstand ja sowieso nichts …

Die ersten Tage nutzten wir, um uns beide an die Situation zu gewöhnen. An einem Tag kam ich um die Mittagszeit zu Besuch und wurde zum gemeinsamen Lunch mit den Besuchern eingeladen. Acht Personen saßen am Tisch, der mit Brot, Butter und Aufschnitt schön gedeckt war. Jedes Gedeck mit Messer und Gabel. Sollten sie sich ihre Brote selbst machen? Würde Richardt es schaffen? Ich hatte ihm sonst immer die Brote geschmiert und in Häppchen geschnitten. Das Personal war sich dessen scheinbar bewusst und warf mir deshalb ein kleines Lächeln zu, gefolgt von Kopfschütteln, als sie sahen, dass ich helfen wollte. Ich ließ meine Hände also fallen.

Vielleicht kam es durch meine Anwesenheit, vielleicht hatte Richardt einen schlechten Tag und sein Koordinationsvermögen war schwächer als am Tag zuvor, jedenfalls wurde das Butterbrot ein Reinfall, und er war sehr unglücklich. Warum setzte man ihn solch einer Situation aus? Und warum musste er einen Rüffel seines Tischnachbarn einstecken, weil er versucht hatte, dessen Brot zu nehmen? Sahen sie denn nicht, wie es ihm wehtat? Wie ängstlich er wurde?

Zu Hause hatte ich versucht, alles so zurechtzulegen, dass Richardt keine Niederlagen einstecken musste. War es verkehrt gewesen, so zu handeln? War vielmehr ich es gewesen, die ihn mit meinem übertriebenen Beschützerinstinkt noch kränker gemacht hatte, als er schon war? War es möglich, einen zerstörten Teil im Gehirn wieder zu trainieren?

Es gab viele Fragen, die meisten von ihnen ohne eine Antwort, und ich begriff, dass ich einfach akzeptieren musste, dass das Personal wusste, was es tat. Wenn ich es nicht akzeptieren wollte, dann konnte ich Richardt überhaupt nicht aus den Augen lassen. Ich musste es aber tun. Ich hatte keine andere Wahl.

Als ich das nächste Mal kam, um ihn abzuholen, freute er sich sichtlich, mich zu sehen, und wollte mir gern seine Abteilung zeigen. Mit etwas Stolz erzählte er mir von Dingen, die sie im Laufe des Tages gemacht hatten.

Für mich wurde der Alltag besser, wenn ich es schaffte, das schlechte Gewissen abzulegen, das bei jeder Entscheidung, die ich traf, wie ein Albtraum auf mir lag. Wenn ich Richardts Gesichtsausdruck vergessen konnte, wie er im Bus saß, und ich es nicht rechtzeitig vor dem Eintreffen des Busses zur Arbeit geschafft hatte. Eine Situation, die so schrecklich und unwürdig für ihn war und in mir solch eine Wut auslöste, dass ich über mich selbst überrascht war. Vollkommen unverständlicher Weise richtete ich diese Wut gegen ihn. Denn wie konnte er uns all dies antun? Mir antun? Wie konnte er so versagen? Wir, die so viele Pläne und so viele Wünsche für ein gemeinsames Leben bis ins hohe Alter geschmiedet hatten – jetzt zerstörte er alles. Ich spürte eine Wut in mir, die mich zu zerreißen drohte, bis ein Schamgefühl einsetzte, das eine noch schwerere Last im Rucksack mit der Aufschrift »schlechtes Gewissen« war.

Die Unterbringung in der Tagesstätte trieb die Krankheit weiter voran.

Richardt hatte noch eine Weile mit seiner Psychologin Kontakt, wenn auch sporadischer als zuvor. Im Gegensatz zu einst merkte ich keinen Unterschied mehr an ihm, wenn er bei ihr gewesen war. Die Psychologin war sich nicht sicher, wie viel Nutzen ihm die Sitzungen bei ihr brachten, weil ihm während des Gesprächs oft die Worte fehlten. Aber er war gern mit ihr zusammen. Er verband etwas Positives mit ihr, und ich war über alles froh, was ihm ein wenig Freude bereitete.

Denn der Abstand zwischen den erfreulichen Erlebnissen war groß. Obwohl wir noch immer an den Treffen unseres Freundeskreises teilnahmen, die Richardt zumindest teilweise meistern konnte, war er vollkommen abhängig davon, dass sich jemand die ganze Zeit um ihn kümmerte. Er konnte nie sich selbst überlassen sein, und selbst wenn sich jemand seiner annahm, saß er oft nur da und starrte vor sich hin, ohne auch nur die Andeutung eines Lächelns zu zeigen, wenn die übrige Gesellschaft in Lachen ausbrach. Dann wiederum konnte er plötzlich einen zusammenhanglosen Satz sagen, der offensichtlich lustig sein sollte und über den er sich selbst amüsierte. Was erlebte er in solchen Momenten? Wie empfand er es, wenn er merkte, dass nur er lachte? Für mich waren diese Treffen schmerzhaft und wohltuend zugleich. Schmerzhaft, weil nur zu deutlich wurde, wie krank Richardt war – und was ich verloren hatte. Wohltuend, weil ich den Umgang mit gesunden Menschen brauchte. Und es war schön, wenn sich andere um ihn kümmerten, dafür sorgten, dass er zu trinken und zu essen bekam, ihn an die Hand nahmen und führten. Ich merkte, dass ich mich zurückzog, nicht einmal nach ihm sah und versuchte, mir für einen kurzen Moment einzubilden, dass mein Leben normal sei.

Es hatte den Anschein, als sei es für das Umfeld einfacher geworden, die Krankheit jetzt zu akzeptieren, nachdem die Symptome derart deutlich zu erkennen waren. Vielleicht wurde es einfacher, weil sie glaubten, dass sie auf Richardt keine besondere Rücksicht nehmen mussten, wenn er nichts zu verstehen schien. Er begriff nichts, brauchte keinen besonderen sozialen Kontakt, abgesehen von praktischer Hilfe. Es war einfacher zu akzeptieren, weil wir so tun konnten, als ob er nicht da wäre, obwohl er bei uns saß – er verstand ja sowieso nichts …

Aber er tat es.

Eine meiner Töchter wollte für längere Zeit auf Reisen gehen; die gesamte Familie war deshalb zu Hause zum Abschiedsessen versammelt. Wir hatten über ihre bevorstehende Reise gesprochen, und Richardt hatte verstanden, dass sie fahren wollte, und sogar, wohin.

Zu Beginn verlief alles sehr gut. Richardt war von Menschen umgeben, die es gut mit ihm meinten, die es gewohnt waren, auf ihn Rücksicht zu nehmen, und denen er vertraute. Er nahm am Gespräch teil, fragte meine Tochter ein wenig nach ihren Vorbereitungen aus und konnte von eigenen Reiseerlebnissen berichten. Doch je heiterer die Stimmung und lebhafter die Gespräche, je mehr der Lärmpegel stieg, was bei unseren Familienzusammenkünften nicht ungewöhnlich war, desto schneller konnte man ihn vergessen. Und er blieb etwas außerhalb des Geschehens sitzen. Ich sah hin und wieder zu ihm hinüber, aber es sah aus, als würde er sich trotz allem wohl fühlen. Er saß da mit einem kleinen Lächeln um den Mund, ließ seine Augen vom einen zum anderen wandern und zeigte keine Anzeichen von Unruhe. Ich entspannte mich also, ließ es mir gut gehen und fand es wunderbar, alle um mich herum versammelt zu haben. Solche Familientreffen wie dieses gab es nicht so häufig.

Nach einer Weile brachen die Gäste auf – gute Reise und schreib viel, Kuss und Umarmung. Denk hieran und denk daran. Nachdem die Abschiedszeremonie vorbei war, alle ihre Mäntel angezogen hatten und sich in der Diele zum letzten Mal umarmten, sah ich Richardt plötzlich durch den Türspalt – allein im Wohnzimmer sitzend. Sein Gesicht war verschlossen, der gesamte Gesichtsausdruck spiegelte Demütigung wider, und ich empfand es wie einen körperlichen Schmerz, so, als ob ich das Gefühl des Isoliertseins mit ihm teilte.

»Ihr müsst ihm aber noch Tschüss sagen!« Ich spürte, wie sich der Schmerz und mein schlechtes Gewissen ihren Weg bahnten.

Verlegene Stimmung in der Diele. Wenn schon wir ihn so leicht vergessen konnten, wie schnell konnten nicht auch andere ihn vergessen?

Für Richardt war es so oder so ein schmerzhaftes Erlebnis.

☆

Ostern. Freie Tage. Ich entdeckte, wie gut es eigentlich mit dem Pflegedienst und der Tagesstätte war. Für mich waren meine halben Arbeitstage meine Pausen, und jetzt stand mir fast eine Woche bevor, in der es 24 Stunden am Tag nur uns beide geben sollte. Die meisten in der Familie wollten verreisen, und erfahrungsgemäß wusste ich, wie still, leer und tot die Stadt sein würde. All das hatte ich früher sehr geschätzt; die ersten Frühlingsanzeichen in einer menschenleeren Stadt, ein ruhiger Morgen und ein langes Frühstück ohne Hetzerei und Stress. Während die meisten Norweger davonrasten, um den letzten Schneeflecken zu erwischen, hatte ich mich immer bei dem Gedanken auf ruhige freie Tage wohl gefühlt. Jetzt konnte die Winterausrüstung weggestellt werden, die Frühjahrsschuhe und ähnliche Kleidung konnten vorgeholt werden, und die Schneeglöckchen und Krokusse weckten Vorfreude und Frühlingserwartungen im Garten.

Nun musste ich eingestehen, dass mir dieser Gedanke zuwider wurde – und dies kam zusätzlich in den »schweren Rucksack«, den ich trug. Denn wie konnte ich so denken, wenn ich sah – und hörte –, wie sich Richardt auf diese Tage freute? Wie er sich darauf freute, nicht in der Tagesstätte sein zu müssen und von den unangenehmen Erlebnissen verschont zu bleiben, die er dort hatte, obwohl ich nicht erkennen konnte, worin diese bestanden, außer dass sie ihn hin und wieder ängstigten.

»Und dann haben wir wieder Zeit, gemeinsam ausgiebig zu frühstücken, genauso wie früher«, sagte er.

Richardt glaubte also noch immer, dass die Zeit wie »früher« werden könnte.

Trotz meiner Bedenken wurden es schöne Ostertage. Wie sich herausstellte, blieben wir doch nicht allein. Einige Tage vor dem Wochenende rief meine Schwester an und fragte, was wir uns für die freien Tage vorgenommen hätten. Sie hätte keine speziellen Pläne, vielleicht könnten wir ja etwas zusammen unternehmen? Wir fuhren ein Stück mit dem Auto, spazierten durch eine unserer reizvollen Kleinstädte und tranken zum ersten Mal in diesem Jahr draußen unser Bier zu einer kleinen Mittagsmahlzeit. Richardt blühte sichtlich auf.

Freunde arrangierten »Ostern für Stubenhocker«, was ein fantastischer Tag wurde – zwar in schneereicher Umgebung, aber mit einer herrlichen Mischung aus Erwachsenen, die sich für gewöhnlich nicht häufig sahen, und Kindern jeden Alters.

»Wieso kann er das nicht selbst machen?« fragte eines der Enkelkinder der Gastgeber, nachdem es bei der ziemlich umständlichen Hilfe beim Füttern zugesehen hatte. Ohne mit der Wimper zu zucken akzeptierte es die Erklärung, dass Richardt krank sei und deshalb Hilfe brauche.

»Soll ich vielleicht dein Glas halten?« fragte es.

Wäre doch die ganze Welt voller Kinder!

Als ich meine Tochter sah, die Richardt an die Hand nahm, um mit ihm bei einem Wettbewerb gemeinsam in einer Mannschaft antreten zu können, traten mir die Tränen in die Augen: ihre selbstverständliche Art, mit ihm umzugehen. Was für ein weinerlicher Mensch ich doch geworden war!

Schlief er oder tat er nur so? Ich war mir nicht sicher, als ich mich im Dunkeln auszog aus Angst, ein Verlangen hervorzurufen, das ich nicht mehr stillen konnte.

Er schlief nicht. Vielmehr hörte ich aufgrund der Geräusche, dass er in der Dunkelheit leise weinte.

Ach, mein Liebster, was hast du denn nur?

Er wollte für mich so gern Blumen kaufen, aber niemand wollte ihm dabei helfen. Sie hatten gesagt, sie hätten keine Zeit. Und der Gedanke, dass er nicht einmal mehr so etwas allein schaffte ...

Es tat sogar gut, ein wenig gemeinsam zu weinen – und hinterher darüber zu lachen. Ach, wie liebe ich dich doch!

Der Pflegedienst und die Tagesstätte blieben miteinander in Kontakt.

»Haben Sie schon einmal darüber nachgedacht, wie lange Sie es schaffen werden, sich zu Hause um ihn zu kümmern?« fragte mein »Engel im Alltag«.

»Das brauchen Sie erst gar nicht zu versuchen«, antwortete ich. »So krank ist er noch nicht.«

»Was glauben Sie, wie lange Sie das alles noch schaffen werden?« fragte die Psychologin.

Was meinten sie? Richardt war 53 Jahre alt, ich sah noch immer meinen Liebsten hinter dem kranken Menschen, der er geworden war, hindurchschimmern, und sah die Zugehörigkeit zum Leben. Zu unserem Leben. Seinem Leben.

Wem würde es einfallen, einen Menschen, der Roy Orbison spielen will, in einem Pflegeheim unterzubringen?

Was vor einer Stunde war und was gestern war, das hatte Richardt vergessen. Aber was vor fünf, zehn oder fünfzehn Jahren war …

Ich schlug vor, alte Freunde von ihm zu besuchen. Er hatte hin und wieder davon gesprochen, dass es schön wäre, einige von ihnen wiederzusehen, einige von seinen alten »Jungs«, deren Trainer er in der regionalen Jungen-Fußballmannschaft eine Zeit lang gewesen war.

An einem schönen Frühlingstag fasste ich mir ein Herz und nahm Kurs auf Richardts alte vertraute Umgebung. Mir war bewusst, dass ich ein Eindringling war, aber genauso wusste ich, dass Richardt gute Freunde gehabt hatte und er sie jetzt brauchte.

Der Besuch wurde gelungener, als ich überhaupt je zu erträumen gewagt hatte, und ich bereute sehr, dass ich nicht schon früher den Kontakt aufgenommen hatte.

Unterwegs war sich Richardt nicht mehr sicher, wo sie wohnten, obwohl er einst 20 Jahre lang in der Nachbarschaft gewohnt hatte. Wir mussten also nach dem Weg fragen. Richardt fragte, und wie sich herausstellte, hatte er sich an einen seiner alten Fußballjungs gewandt, der sagte, er wisse, dass Richardt krank sei, freue sich aber, ihn wiederzusehen. Richardt blühte sichtlich auf, so, wie ich ihn schon lange nicht mehr gesehen hatte.

Der Nachmittag ging viel zu schnell vorüber und hat sich als eine der letzten guten Erinnerungen an ein »normales« Leben bei mir fest eingeprägt.

Und dann unsere letzten Unternehmungen in einer Welt, der wir nicht mehr angehörten:

Pfingsten, und alle waren zu Hause. Ausflüge und gemeinsames Beisammensein waren die logische Folge, und ich wollte sehr gerne mit dabei sein. Ich brauchte es einfach, war mir aber bei weitem nicht sicher, inwieweit auch Richardt Freude an solchen Geselligkeiten hatte. Wie sich zeigte, war das Gartenfest, zu dem wir am Pfingstsamstag eingeladen waren, eine positive Erfahrung für ihn. Sogar körperliche Betätigung wie einfache Ballspiele und Ähnliches schienen ihm an diesem Abend Spaß zu machen.

Die Reaktion trat am nächsten Tag ein. Richardt war schon am Morgen so erschöpft, dass die lange Autofahrt mit anschließendem Museumsbesuch zu viel für ihn wurde, und unsere Bekannten erlebten eine neue Seite der Krankheit. Plötzlich zeigte er eine Aggressivität, die sie nie zuvor beobachtet hatten. Für mich war sie nicht ganz neu, doch das machte die Situation nicht besser.

Es wurde schmerzlich für sie, es wurde schmerzlich für ihn, es wurde schmerzlich für mich – und in traurigem Schweigen wurden wir nach Hause gefahren.

Dies war definitiv das Ende meiner Hoffnung auf ein annähernd normales Leben.

»Ich finde, Sie sollten einen Antrag auf einen Pflegeheimplatz stellen«, sagte die Leiterin des Pflegedienstes. »Sie müssen nicht gleich das erstbeste Angebot annehmen, aber es wäre von Vorteil, wenn dieser Teil schon geregelt ist für den Fall, dass Sie plötzlich davon Gebrauch machen müssen. Ich schicke Ihnen auf alle Fälle die Papiere zu.«

Sie schickte mir die Papiere ins Büro. Ich wollte auf keinen Fall, dass sie bei uns zu Hause ankamen. Was wäre, wenn Richardt sie fand – schließlich hatte ich ihm noch immer nicht erzählt, mit welchen Gedanken ich mich trug. Welch schreckliches Ende wir für sein Leben planten.

Was sollte ich tun?

Einerseits war ich mir darüber im Klaren, dass ich bald nicht mehr weiterkonnte. Ich schlief nachts selten mehr als eine Stunde ohne Unterbrechung. Er brachte den Tagesrhythmus völlig durcheinander und brauchte für alles Hilfe: beim Baden, Toilettengang, Rasieren, Füttern. Und dies waren nur die praktischen Dinge, die noch am einfachsten waren.

Hinzu kamen die psychischen Belastungen. Seine Furcht, die Angst, die ich bald nicht mehr bekämpfen konnte. Die Anfälle von Aggressivität, die ich zwar noch immer dämpfen konnte, doch wie lange noch? Ich merkte schließlich, was jeder einzelne Kampf mit ihm auch mit mir machte. Wie er an meinen Kräften zehrte. Das Mitleid mit ihm gab mir den Rest.

Denn wie konnte ich mir selbst gegenüber verantworten, dass ich ihn zu einem Leben in einer Institution verurteilte?

Und die Sorge … Die Sorge, mit ansehen zu müssen, dass mein Liebster starb, während er noch am Leben war.

Andererseits – welche Wahl hatte ich eigentlich? Welche Alternativen gab es? Ich träumte von unvorhergesehenem Geld und einem Lottogewinn, mit dem ich eine Hilfe für 24 Stunden am Tag einstellen könnte. Ich war einfach erschöpft.

Lieber Gott – ich verstand übrigens nicht, weshalb ich mich noch immer an ihn wandte. Es konnte keinen Gott geben. Ich hatte zwar meinen Glauben, aber Richardt glaubte an gar keinen Gott. Wenn ich sah, was er durchmachte, fiel es mir nicht schwer, seine Anschauung zu teilen. Aus welchem Grund musste er so leiden?

Und trotzdem schaffte ich es nicht, den Strohhalm loszulassen: Lieber Gott, hilf mir! Hilf uns!

Die »Hilfe« kam in Form eines Vorfalls, der mir keine andere Wahl mehr ließ. Richardt lief aus der Tagesstätte weg, und mir wurde mitgeteilt, dass sie nicht länger die Verantwortung für ihn übernehmen konnten. Richardt war eigentlich zu krank für die Tagesstätte.

An dem Tag, an dem ich den Aufnahmeantrag unterschrieb, während meine Schultern vor Weinen bebten und mir eine Kollegin immer wieder über den Kopf strich, ahnte ich zum Glück nicht, dass mir noch viel härtere Prüfungen bevorstanden. Bis zu dem Zeitpunkt erschien mir diese Entscheidung, die ich im Namen meines Liebsten traf, als das Schrecklichste, was ich je durchlebt hatte. Eine Wahl treffen zu müssen, durch die er sich vom Leben entfernte – im Alter von 53 Jahren.

Es dauerte eine Woche, bis ich im Büro einen Anruf erhielt.

»Jetzt haben wir für ihn einen Platz. Sie müssten sich allerdings im Laufe des morgigen Tages entscheiden, weil wir das Zimmer nicht länger freihalten können.« Dieses Mal reichte es nicht, dass mir jemand über den Kopf strich. Es war ein Segen, gute Kollegen zu haben.

Wie sollte ich nun vorgehen?

Vor allem wollte ich gerne die Abteilung sehen, auf der Richardt wohnen sollte, und wurde gebeten vorbeizukommen. Er hatte bereits früher einmal einen Vormittag dort verbracht, weil er an einem Ausflug der Tagesstätte nicht teilnehmen konnte. Damals erzählte er zu Hause von diesem Ort, den er viel schöner gefunden hatte als den, wo er sonst die ganze Zeit verbrachte. »Nette Menschen und ein schönes Umfeld«, hatte er damals gesagt.

Ich sprach mit der Leiterin und mit einigen anderen Angestellten – alle lobten die Abteilung. Und ich konnte auch selbst sehen, dass es dort schöner war. Die Stimmung war nicht so gedrückt, und es herrschte ein heiterer und persönlicher Umgangston zwischen Personal und Bewohnern als in anderen Abteilungen, die ich gesehen hatte, obwohl ich mit Pflegeheimen keine große Erfahrung hatte. Bisher war ich dort nur als gelegentliche Besucherin gewesen. Diese Abteilung hatte weniger Patienten als die anderen Abteilungen und mehr Personal.

Gleichzeitig sah ich aber auch, dass sie die meiste Übung im Feiern von 80. und 90. Geburtstagen hatten.

Die Schwester, die mich durch die Abteilung führte, öffnete weit die Tür eines Zimmers, eines Einbettzimmers von etwa 8–9 Quadratmetern, in dem das Bett, ein Schrank und ein Waschtisch den halben Platz einnahmen.

»Und hier ist sein Zimmer!« Ich verstand, dass ich es als einen Gunstbeweis auffassen sollte, als etwas, für das ich dankbar sein sollte: Er, ein Mann von 53 Jahren, musste sein Leben nicht gemeinsam mit einer 80-, 90-jährigen demenzkranken Person – einer Person mit Demenz – in demselben Zimmer fristen.

Dies war also sein Zimmer.

Trotzdem kam ich mit mir selbst darüber ins Reine, dass das

Ganze schlimmer hätte sein können – und stand nun der schwierigsten Aufgabe gegenüber: Richardt darauf vorzubereiten, was ihn erwarten würde.

Bereits zu einem früheren Zeitpunkt der Krankheit hatte ich einmal angesprochen, dass wir nicht immer würden zusammenleben können. Das Ergebnis hatte wehgetan, so sehr, dass ich später nie auch nur annähernd dieses Thema gestreift hatte.

Ich fragte deshalb die Betreuerin von der Tagesstätte, die angerufen hatte, um einige praktische Dinge zu klären, wie ich verfahren solle. Es konnte zwar keine eindeutige Antwort geben, weil jeder Mensch anders ist und kein Krankheitsverlauf dem anderen gleicht, doch ich glaubte, dass sie so viel Erfahrung mit Einweisungen haben müsste, dass sie mir auf jeden Fall einen Rat geben könnte. Außerdem hatte sie Richardt während der letzten drei, vier Monate regelmäßig gesehen und müsste daher sein Verhaltensmuster ein wenig kennen. Glaubte ich.

Mein Verstand weigerte sich zu glauben, was meine Ohren hörten, als sie den Vorschlag machte, dass ich seinen Koffer packen sollte, während er in der Tagesstätte war, den Koffer dann zum Pflegeheim bringen sollte und sie Richardt danach dorthin bringen würden, ohne ihn vorher darüber informiert zu haben. So hätten sie es auch früher gemacht, wenn die Angehörigen Schwierigkeiten mit der Situation hatten.

Einer der wichtigsten Entscheidungen im Leben – die so große Folgen hatte – wurde kein Wert beigemessen. Das konnte einfach nicht wahr sein.

Selbst wenn die Person, von der dieser Rat stammte, vielleicht kein größeres Fachwissen besaß, so hatte sie doch jahrelange Erfahrung mit einer Krankheit, bei der ein Schock zu schwerwiegenden Konsequenzen führen konnte und bei der Stabilität im Alltag einer der wichtigsten Faktoren für ein möglichst angenehmes und schönes Leben ist.

Hier war ich wieder auf fehlendes Wissen und Verständnis im Gesundheitssystem gestoßen, ein Verständnis, das ich selbst binnen kurzer Zeit erlernt hatte.

Es war sicherlich kein böser Wille; dem war ich nur selten oder nie begegnet. Ich denke, es wurde so gesagt, um es mir einfacher zu machen, und ohne überhaupt den Versuch zu machen, sich in die Seele des Angehörigen hineinzuversetzen. Schließlich war für ihn die beste Medizin zu wissen, dass es dem Patienten gut ging.

Wir hatten das meiste allein bewältigt – wir schafften auch dies.

Die Leiterin des Pflegedienstes hatte mir gesagt, ja, sogar ausdrücklich betont, dass ich ihnen mit meiner bisherigen Verantwortung und geleisteten Arbeit einen Dienst erwiesen hatte. Jetzt wären sie an der Reihe, die Verantwortung zu übernehmen. Von nun an könnte ich mich darauf konzentrieren, Richardt die Freude zu machen, die ihm das Leben noch bieten konnte.

Ich erlebte es also nicht so, wie ich es von vielen Angehörigen gehört hatte: Sie mussten sich mit dem, was ihnen angeboten wurde, zufrieden geben. Die Gesellschaft hatte ihnen einen Dienst erwiesen, indem sie ihnen die Pflege und Verantwortung für eine Person abnahm, die nicht mehr allein für sich sorgen konnte. Nachdem sich der Ehepartner oder die Kinder so abgemüht hatten, bis ihr eigenes Leben zerrüttet war.

Diese Tatsache und meine eigene Einstellung, ihn nie »wegzugeben«, nahm ich am Tag vor Richardts Umzug als Ausgangspunkt, um ihm zu erklären, was mit ihm geschehen würde. Räumlich konnten wir nicht mehr den ganzen Tag zusammenleben. Ich war nicht mehr in der Lage, ihm all die Hilfe zu geben, die er benötigte; dies mussten andere für uns tun. Doch nichts konnte daran ändern, dass wir nach wie vor ein Paar waren.

Ich wollte auch weiterhin die wichtigste Person in seinem Leben sein – und er in meinem. Wir sollten auch künftig die Freunde bleiben, die wir waren.

Richardts Gesicht war genauso leer, wie es immer war, wenn ihm etwas sehr nahe ging. Anfangs war es nur schwer auszumachen, ob er wirklich begriff, was ich sagte, ob er die Tragweite des Mitgeteilten verstand. Doch wie schon so oft war ich nicht darauf vorbereitet, wie schnell und wie viel er überhaupt begriff.

Der Abend wurde ziemlich tränenreich – doch die Nacht …

Es schien, als hätte der Schock die gesunden Abschnitte in Richardts Gehirn gestärkt. Die Nacht verging mit Gesprächen, sowohl mit gefühlsgeladenen Gesprächen als auch mit überraschend konstruktiven und reflektierenden Gedankengängen. Wir gingen unser Leben vom Anfang bis zu dieser Nacht durch und waren uns darin einig, dass wir kaum etwas anders gemacht hätten. Die Entscheidungen, die wir im Laufe der Zeit getroffen hatten, hätten wir auch ein zweites Mal so getroffen.

Eine der schlimmsten Nächte in unserem gemeinsamen Leben sollte am Ende in vielerlei Hinsicht auch eine der besten werden.

Am nächsten Morgen frühstückten wir ausgiebig; es sollte wohl zur Gewohnheit werden, dass Tragödien in unserem Leben ein ausgiebiges Frühstück zur Folge hatten; genau dann, wenn man eigentlich gar keinen Appetit hatte. Wir blieben lange am Tisch sitzen, während einige unserer Kinder mit einem Koffer voll Kleidung und ein paar Ziergegenständen, Bildern und persönlichen Dingen zum Pflegeheim fuhren, um das Zimmer vor unserer Ankunft etwas heimischer einzurichten.

Ein Morgen im Frühsommer. Die Sonne schien schräg durch das Küchenfenster. Der Duft von Flieder. Wieder diese detaillierten Erinnerungen, wenn es darum ging, dass Richardt zum letzten Mal aus unserer Haustür gehen sollte.

»Ja, wir müssen wohl langsam aufbrechen. Die Kinder warten drüben sicherlich schon auf uns.«

Richardt war einverstanden und erhob sich auf seine steife Greisenart, die er sich in der letzten Zeit angewöhnt hatte. Er war vollkommen ruhig, lächelte sogar ein wenig. Während er durch das Wohnzimmer ging, hielt er kurz inne und verschaffte sich einen letzten Überblick, bevor er hinaus auf den Flur ging. Geduldig blieb er dort stehen, während ich ihn anzog. Alles war neu, Hose, Hemd, Weste – ein junger Stil. Sein Stil. Er war 53 Jahre alt und sollte dementsprechend aussehen.

KAPITEL 5

Du musst lernen, mit den Entscheidungen zu leben, die du getroffen hast.

Die ganze Gefühlspalette stieg in mir auf, als wir im Pflegeheim ankamen. Unwirklichkeit, Angst, Mitleid und Trauer gemischt mit ein wenig verräterischer Erleichterung und Wut – wieder einmal. Eigentlich war diese Wut wohl eher gegen mich selbst gerichtet, ein Angriff, weil ich diese Situation nicht hatte vermeiden können, weil ich keine weiteren Möglichkeiten und Initiativen ergreifen konnte oder nicht mehr genug Kräfte hatte, um andere Lösungen zu finden. Alles in mir protestierte dagegen, meinen Liebsten in dieser Umgebung zu sehen. Doch meine Wut richtete sich gegen die Gesellschaft, in der wir lebten und die kein anderes Angebot für einen Menschen bereithielt, der eigentlich in seinem besten Alter war.

Denn noch immer konnte ich nicht erkennen, dass Richardt krank genug war, um hierher gebracht zu werden, obgleich er für ein normales Leben zu krank war.

Er schien es überraschend gut aufzunehmen. Hielt auf der Schwelle zu »seinem« Zimmer mit seinem Lieblingssessel in der Ecke und Familienbildern an der Wand inne, sah sich um, nickte kurz und sagte: »Das sieht ja nicht schlecht aus.« Verstand er, was dies bedeutete? Verstand er, dass dies sein Zuhause sein sollte, vielleicht für die nächsten zehn Jahre? Oder länger? Die durchschnittliche Lebenserwartung für Menschen mit Alzheimer-Krankheit betrug zehn Jahre. Doch das war der Durchschnitt. Ich hatte von Menschen gehört, die zwanzig Jahre mit dieser Krankheit lebten.

Er verstand es sicherlich, weigerte sich aber, die Realität in sich aufzunehmen. Sein Abwehrmechanismus trat in Kraft.

Nachdem wir einige Stunden gemeinsam verbracht und das Personal begrüßt hatten, mit dem Richardt scherzte und lachte, und nachdem uns Kaffee und Essen serviert worden war, beschloss ich, ihn für einen Augenblick allein zu lassen. Nur für ein oder zwei Stunden, damit er mit seinen Mitpatienten und dem Pflegepersonal ein wenig allein sein konnte. Außerdem brauchte ich eine kleine Verschnaufpause.

Es war meine Idee, doch es kamen keine Gegenargumente.

Zwei Stunden später war ich zurück – und hatte den letzten Rest meines Liebsten verloren. Er hatte sich vom Leben losgesagt. Innerhalb von zwei Stunden war die Krankheit rasend fortgeschritten – um Jahre. Die Angst hatte überhand genommen.

Was war geschehen? Wieso war es geschehen? Hätte es verhindert werden können? Wieder viele Fragen ohne eine Antwort. Auf einige von ihnen fand ich eine Antwort, glaubte ich jedenfalls. Aus Erfahrung wusste ich, dass Schockerlebnisse den Krankheitsverlauf beschleunigen. Ich hatte geglaubt, oder gedacht, dass die Nachricht von einem Leben in einem Pflegeheim ein Schock sein würde. Erneut ging ich in mich. Wenn ich schon die Realität nur schwer einsehen konnte, wie konnte ich dann glauben, dass es ihm mit seiner Krankheit möglich sei? Hatte meine unbedachte Handlung, ihn für kurze Zeit allein zu lassen, zu dieser Schockreaktion geführt, als ihm plötzlich bewusst wurde, dass dies von nun an sein Leben sein sollte? Dass sein Zuhause aus einem kleinen Zimmer mit Möbeln bestand, die er zwar kannte, die in diesem Zimmer allerdings vollkommen fehl am Platze wirken mussten? Ein Zimmer mit Bildern von Menschen, die er zwar kannte, die aber nichts an diesen Wänden zu suchen hatten? Dass die Mahlzeiten gemeinsam mit fünf vollkommen unbekannten Personen eingenommen werden sollten, die 20–30 Jahre älter waren als er? Und die sich außerdem zum Teil »anders« und beängstigend benahmen?

Wieso hatte ich nicht verstanden? Weshalb hatte mir niemand einen Rat geben können? Vielleicht verstanden auch die anderen nicht? Oder wollte niemand verstehen?

Denn jetzt sah ich es: Richardt hätte in dieser Situation nicht allein gelassen werden dürfen. Er hatte nicht die Möglichkeit, dies als sein »Zuhause« anzusehen. Warum sollte er auch? Wäre es besser gewesen, wenn sein Zimmer im Pflegeheim genauso geblieben wäre, wie es war: anonym und ohne jeglichen Bezug? Langsam hätten wir Veränderungen vornehmen können, um es nach und nach gemütlicher einzurichten. Er hätte sich über Tage und Nächte langsam an das Pflegeheim gewöhnen können, hätte kommen und gehen können. Ich hätte ihn nicht dem Schock aussetzen sollen, dem er nun ausgesetzt war. Nicht einmal der Gedanke, in der besten Absicht gehandelt zu haben, wie es tatsächlich der Fall war, konnte mich trösten.

Die Krankheit konnte niemand aufhalten, allerdings deren Folgen … Jetzt war es definitiv zu spät, ihn wieder mit nach Hause zurückzunehmen. Oh, mein Liebster, was haben wir bloß mit dir gemacht?

Die Hilfe, die ich brauchte, bekam ich von ihm selbst, indem ich mich an seine Worte erinnerte: »Du musst lernen, mit den Entscheidungen zu leben, die du getroffen hast.« Ich hatte ihn so oft diese Worte sagen hören, jetzt waren sie so aktuell wie nie zuvor.

Für das Personal war es schwierig, Richardt als Patienten aufzunehmen, einen Mann, der jünger war als einige von ihnen selbst. Außerdem waren sie unsicher, sowohl was ihn betraf als auch mich. Hinzu kam, dass sie ihn nicht gekannt hatten, wie er vor seinem letzten Krankheitsausbruch gewesen war. Sie verstanden nicht, dass sein Verhalten und seine neuen Reaktionen genauso unbekannt für mich waren wie für sie. Ich fühlte mich auch in dieser Situation allein gelassen, wohingegen sie mit einigen Dingen, die sie mit ihren eigenen Augen sahen, hätten Erfahrung haben müssen.

Doch trotz aller Unsicherheit und Schwierigkeiten: Der gute Wille war da.

Die Angst dominierte. Richardt hatte auch zu Hause sehr darunter gelitten, besonders nachts, aber ich hatte es immer geschafft, ihm die Angst zu nehmen. Manchmal dauerte es lange, manchmal war er weniger davon betroffen, doch immer hatte ich es so empfunden, als würde er sich bei mir geborgen fühlen. Jetzt erlebte ich, dass er sich von mir abwandte, dass er mich als Bedrohung ansah.

Was siehst du bloß, mein Liebster?

Diese Erkenntnis schmerzte sehr, und gleichzeitig musste ich versuchen, Richardts Angst zu dämpfen, und ich musste es allein schaffen. Vielleicht glaubte das Personal, dass es am besten sei, wenn sich nicht zu viele Fremde einmischten, vielleicht wussten sie auch nicht, wie sie mit der Situation umgehen sollten. Aber für mich wurde es eine Situation, in der ich nur Hoffnungslosigkeit verspürte. Sollte ich auch hier die Verantwortung tragen? Genau das vermochte ich nicht mehr, genau deshalb war ich gezwungen gewesen, die Pflege anderen zu überlassen.

Ich war so erschöpft – jetzt konnte ich nicht mehr.

Sie verstanden es schließlich. Die Nachtschwester wurde benachrichtigt. Sie kam, und als erstes setzte sie mich mit einer Tasse Kaffee auf einen Stuhl. Jetzt hätte ich meinen Teil geleistet, sagte sie zu mir, von nun an trüge sie die Verantwortung. Ich sollte nach Hause gehen und versuchen, ein wenig zu schlafen. Sie würden Richardt Beruhigungsmittel geben, und sie selbst würde nach dem Ende ihrer Schicht zurückkommen, ihn ins Bett bringen und, wenn nötig, die ganze Nacht bei ihm bleiben.

Ich konnte Richardt also doch dort lassen. Die Schwester gab mir die Sicherheit, die ich brauchte, die Sicherheit, dass man sich um ihn kümmern würde. Die Sicherheit, dass die anderen ihre Arbeit tun würden, auch wenn ich nicht da war.

Den Nachtschlaf, zu dem mir die Schwester geraten hatte, bekam ich nicht. Etwas anderes hatte ich auch gar nicht erwartet. Das Gefühl der Unwirklichkeit, das mich einen Teil des Tages verfolgt hatte, wich einer schmerzlichen Wirklichkeit und einem Gefühl des Versagthabens.

Richardt erreichte nie wieder das Stadium, in dem er sich befunden hatte, als er noch zu Hause wohnte. Kurz nach seiner Einweisung wurde ich von einer Schwester gefragt: »Wie haben Sie es bloß so lange allein zu Hause mit der Pflege geschafft? Das haben wir uns hier wirklich alle gefragt.« Als ich ihr erklärte, dass er zu jenem Zeitpunkt noch nicht so krank gewesen war, blickte sie mich verständnislos an.

Wusste sie nicht, dass die Krankheit so rasch fortschreiten konnte? Oder war Richardt so krank gewesen, wie es alle behauptet hatten, nur dass ich es nicht gesehen hatte, nicht hatte sehen wollen, weil zu Hause die Bedingungen für ihn besser waren? Wenn das allerdings die Ursache war, warum wurden dann nicht die Bedingungen so geschaffen, dass alle Menschen mit einer Demenzkrankheit ein möglichst reiches Leben haben können, und zwar genau dort, wo man die meiste Erfahrung damit haben sollte?

Meine Gedanken quälten mich weiterhin. Wie wäre sein Leben gewesen, wenn …

»Du musst mit den Entscheidungen leben, die du getroffen hast.« Ich hörte Richardts Stimme wie ein Echo in meinem Kopf.

Doch es erwies sich als schwieriger, *von* den Entscheidungen zu leben. Im Wohlfahrtsstaat Norwegen krank zu werden kostet viel Geld. Einfach ausgedrückt, beträgt der Eigenanteil 80 Prozent des Einkommens nach Abzug der Steuern. Und unter »Einkommen« fällt alles, sogar die Steuervorteile für das Eigenheim.

»Nein, solange Sie nicht mit ihm verheiratet sind, hat er keine Unterhaltspflicht für Sie«, war die Antwort der kommunalen Krankenkasse, an die ich mich gewandt hatte. Aber ich hatte gar nicht darum gebeten, Unterhalt zu bekommen, sondern nur darum, dass Richardt so viel von seiner Rente behalten möge, dass damit sein Anteil an den gemeinsamen Schulden am Haus abgedeckt war, das wir uns drei Jahre zuvor gekauft hatten. Und die Kosten für das Auto, das seine einzige Möglichkeit war, aus dem Pflegeheim zu kommen. Er war allerdings »auf Beschluss eingewiesen worden«, wie ich erfuhr. In die Praxis umgesetzt bedeutete dies vermutlich, dass es ihm nicht zustand, eine Bleibe zu haben, zu der er zurückkommen konnte. Das konnten sie also entscheiden, ohne mit mir oder anderen Angehörigen Rücksprache zu halten?

Erschöpft und bleich saß ich einer Dame gegenüber, die mich über ihren Brillenrand hinweg ansah und mir erzählte, dass ich vorher daran hätte denken sollen. Aber als unverheiratete Lebenspartner würden wir ja mehr Rente bekommen – wenn wir 67 Jahre alt werden.

Falls wir 67 werden würden – beide.

Und sie sagte es so, als ob es mir dann so richtig gut gehen könnte.

Auf die Frage nach der Deckung der Ausgaben für das Auto und der Tilgung des Kredits bekam ich zur Antwort, dass wir, wenn nötig, ein Taxi nehmen könnten. Richardt würde kostenlos befördert werden.

Ja, das wäre sicherlich ein angenehmes Vergnügen, er und ich und der Taxifahrer!

Ich saß da und wurde noch erschöpfter und noch bleicher. Wie konnte sie so arrogant sein? So wenig Mitmenschlichkeit zeigen? Und wieso hatte uns niemand darüber informiert, bevor der Antrag auf einen Pflegeheimplatz abgeschickt worden war? Bitterkeit schlich sich ein, ohne dass ich ihr entgehen konnte – schließlich hätte ich es vorher wissen sollen. Vielleicht hätte ich jemanden anstellen können, der mir bei der Pflege half, sodass Richardt länger zu Hause geblieben wäre. Auf der Grundlage seines Eigenanteils hätten wir ein gutes Gehalt anbieten können. Wenn sie an ihren Aussagen festhielten, müssten wir unser Haus aufgeben. Wenn Richardt dadurch ein besseres Leben hätte, würde dies ja noch Sinn machen, doch so, wie es jetzt war, hatte es eher den Anschein, dass wir beide dafür leiden mussten.

Der Mensch ist ein anpassungsfähiges Wesen. Langsam nahm unser Leben eine neue Form an. Ich war noch immer krankgeschrieben, meine Nerven waren geschwächt und der Nachtschlaf wollte sich nicht wieder einstellen, doch dadurch hatte ich die Möglichkeit, ins Pflegeheim zu kommen und zu gehen, wann ich wollte. Und ich wollte es gern so oft wie möglich. Ich wollte nach wie vor die wichtigste Person in Richardts Leben sein und er in meinem. Das hatte ich versprochen und wollte es halten, auch mir selbst zuliebe. Er war nach wie vor mein Liebster – und ich seine Liebste. Sein Lächeln, wenn ich kam, seine Hand, die mir über die Wange strich, seine Versuche, mir zu sagen, dass er mich liebte. Jeder einzelne Lichtblick erfreute mich und wärmte mein Herz.

Die Atmosphäre im Pflegeheim war offen, warm und freundlich. Nachdem die erste Unsicherheit verflogen war, merkte ich, dass sie alle Mittel und Möglichkeiten nutzten, die ihnen zur Verfügung standen, um Richardt ein möglichst gutes Leben zu ermöglichen. Die Angst quälte ihn noch immer, und es wurde eine Aushilfe herbeigeholt, die die ganze Nacht an seinem Bett saß. Auf die finanziellen Mittel sollte es nicht ankommen, wurde mir mitgeteilt. Ich war beeindruckt.

Es ging so schnell bergab, sowohl physisch als auch psychisch, dass ich mich darauf einstellte, dass Richardts Leben ein schnelles Ende nehmen würde. Ich war so sehr darauf eingestellt, dass ich gar nicht die Freude der lächelnden Schwester teilen konnte, die mich in der Tür begrüßte und mich in sein Zimmer führte mit den Worten: »Sie glauben nicht, was Sie sehen werden!« Da saß er also – seit Wochen zum ersten Mal in seinem Stuhl. Zwar abgemagert, aber seit langem endlich wieder mit einem gesünderen und glücklicheren Aussehen. Wie konnte ich zeigen, dass ich diese Freude nicht teilte? In welches Leben kam er wieder zurück?

Und ich musste noch mehr in meinen Rucksack mit der Aufschrift »schlechtes Gewissen« packen. Denn was für ein Mensch war ich, der seinen Tod herbeiwünschte, während sich alle um ihn herum freuten? Erneut musste ich mit mir ins Gericht gehen. Zuerst hatte ich Zeit gebraucht, um mich auf den Tod einzustellen, jetzt brauchte ich sie, um mich auf das Leben einzustellen. Das zehrte an den Kräften.

Richardt kam wirklich zu einer Art von Leben zurück. Ein Leben, das auch mir Freude bereitete. Wir lernten, die kleinen Dinge zu schätzen, wie an dem Tag, als er sich stark genug fühlte, um mit mir bis zum nächstgelegenen Geschäft zu gehen, um sich ein Eis zu kaufen. Für mich war es eine Freude, ihn während unseres Spazierganges an die Hand zu nehmen; für ihn war vielleicht das Eis die größte Freude. Seit eh und je hatte Richardt Eis geliebt, jetzt wurde es zu einem großen Lichtblick in seinem Leben. Es war praktisch und wohltuend zugleich, war Trost, wenn er traurig war, und eine Freude im Alltag.

Ebenfalls eine Freude war es, als wir zum ersten Mal ein Bier im Freien trinken wollten und Tische und Stühle in den Garten des Pflegeheims trugen. Ein begeistertes Pflegepersonal spielte Kellner und servierte Bier in hohen Gläsern. Richardt hatte seine Freude daran, trank aber sein Bier nicht. Alkohol schmeckte ihm nicht mehr. Ich war mir auch gar nicht so sicher, worüber er sich eigentlich freute, doch dies spielte keine Rolle. Am wichtigsten war, dass ich in seinem Gesicht lesen konnte, dass es ihm in diesem Moment gut ging.

Nur selten war Richardt an seinen Mitpatienten interessiert. Er saß lieber in seinem Zimmer oder gemeinsam mit dem Personal im Aufenthaltsraum, wenn er unbedingt dorthin musste. Fernsehen interessierte ihn nicht, ebenso wenig Zeitschriften und Bücher. Er wurde ein Wanderer. Ruhelosigkeit und Unruhe trieben ihn den Flur auf und ab, hin und her, hin und her. Viele Kilometer ging er über den Flur.

Noch immer konnte Richardt sprechen, an einzelnen Tagen konnten wir nach wie vor eine Art Gespräch führen, obwohl ich diejenige war, die am meisten sprach. Manchmal konnte er lange Monologe halten. Die Sorge um die Arbeitssituation bewegte ihn am meisten, genauso beschäftigten ihn die Fehler, die er gemacht hatte, und seine Schuld.

Oft machte er sich Sorgen um seine Kinder, um mich, um die Zukunft – unsere oder seine? Er blieb weiterhin der gleiche umsichtige Mensch, der er in seinem gesunden Leben gewesen war. Doch welche Sorgen ihn quälten, was ihn am meisten beschäftigte, das konnten wir nur vermuten. Zwar stellte er uns Fragen wie »Hast du Hunger? Hast du schon gegessen?«, solange er noch in der Lage war, Wörter auszusprechen, doch ich glaubte nicht, dass ihm dies das meiste Kopfzerbrechen bereitete.

Nicht nur Richardt und ich waren in das Pflegeheim »gezogen«, sondern zwangsläufig auch unser Hund, dieser kleine, sonderbare Mischling. Für sein Herrchen und viele andere wurde er ein Lichtblick, nur nicht für die Katze auf der Station, die bis zu diesem Zeitpunkt das Feld beherrscht hatte.

Es wurde ein ausgeglichener und fairer Machtkampf, den die Katze gewann.

Bei einigen unserer Spaziergänge auf dem Pflegeheimgelände waren wir zweifellos ein herrlicher Anblick: Richardt und ich Hand in Hand, zwischen uns eine große orangefarbene Katze mit stolz erhobenem Kopf und Schwanz, und hinter uns herschleichend ein kleiner Hund. Oder alle zusammen auf dem Zimmer: die Katze majestätisch am Fußende des Bettes, mit ihrem sich leicht hin und her bewegenden Schwanz, während der Hund winselnd auf dem Boden saß und sich beklagte. War die Katze allerdings draußen, rächte er sich an ihr, indem er ihren Napf leer fraß.

Ich weiß nicht, wie viel Richardt hiervon wirklich begriff, aber seine Augen strahlten, wenn der Hund mit einem Satz auf seinen Schoß sprang. Er lächelte sogar, wenn ihm der Hund das Gesicht ableckte, bevor ich ihn davon abhalten konnte – und das, obwohl Richardt es damit sehr streng genommen hatte, als er noch gesund war.

»Er hat heute so netten Besuch bekommen«, sagte die Schwester, die mich im Büro anrief. »Aber wir dachten uns, dass Sie davon gar nichts wissen und sich vielleicht Gedanken machen, wo Ihr Hund geblieben ist.« Sie hatten ihn vor der Tür zur Abteilung gefunden, nachdem er wahrscheinlich mit jemandem zusammen in die Eingangshalle gekommen war. Und die Wiedersehensfreude war beiderseits groß gewesen.

Die Erklärung bekam ich, als ich den Handwerker sprach, der bei mir zu Hause gearbeitet hatte. Er hatte vergessen, dass ein Hund im Haus ist, und die Tür offen stehen lassen. Zwei große, stark befahrene Straßen musste er überqueren, um sein Herrchen zu finden.

Als wir das Haus kauften, in dem wir alt werden wollten, hatte es an Warnungen nicht gefehlt: »Ein Haus über zwei Etagen? In eurem Alter?« Aber wir gaben nichts darauf und sagten uns selbst und anderen, dass vielleicht genau das uns fit halten würde. Außerdem könnten wir, wenn nötig, umziehen. Wie wenig man doch weiß!

Der Wunsch, Richardt manchmal ganz für mich zu Hause zu haben, kam erst, als er schon eine Weile im Pflegeheim lebte.

Teilweise lag es wohl daran, dass er unmittelbar nach der Einweisung viel schwächer geworden war, teilweise auch daran, dass ich so erschöpft war. Außerdem weigerte sich irgendetwas in mir, für die Pflege und Fürsorge wieder allein die Verantwortung zu tragen und nicht einfach gehen zu können, wenn ich plötzlich genug hatte oder etwas zu sehr schmerzte. Aber mit der Zeit entwickelte sich das Verlangen, Richardt in einer anderen Umgebung zu sehen. Tief in mir hatte ich eine unrealistische Hoffnung, dass »mein Liebster« wieder zum Vorschein kommen würde, wenn man ihn aus seiner jetzigen Umgebung herausholte.

Jetzt musste ich in vollem Umfang erleben, was es bedeutete, viele Treppen und nicht auf jeder Etage Zugang zu einem Schlafzimmer und einer Toilette zu haben. Ich musste mich gänzlich davon verabschieden, ihn zu Hause als Übernachtungsgast zu haben. Das war praktisch unmöglich. Außerdem schlichen sich andere Gedanken ein: Wie würde Richardt reagieren, wenn er unser Haus wiedersah? Handelte ich egoistisch? Die eine Sache war die, dass *ich* mir wünschte, mit ihm in unserer alten Umgebung zusammen zu sein, und für mich dachte, dass es dann nur ein kurzer Besuch werden sollte. Aber wie stand es um *seine* Wünsche und Gefühle, wenn ihm bewusst wurde, dass er ins Pflegeheim zurück musste? Würde er sein Zuhause wiedererkennen? Hätte er Freude am Aufenthalt?

Es war nicht mehr möglich, ihm etwas im Voraus zu erklären. Das heißt, ich konnte ihm schon etwas erklären; vielleicht verstand er es auch, wenn seine Tagesform und der Augenblick es erlaubten, nur wie lange würde er es behalten? Und was würde er verstehen?

Wieder einmal Fragen über Fragen ohne eine Antwort.

Damit Richardt ein wenig Abwechslung im Leben hatte, unternahmen wir Ausflüge mit dem Auto. Die meisten von ihnen waren sehr schön, andere waren für uns beide sehr schmerzhaft. Am besten klappte es, wenn wir einen Fahrer hatten, jemanden, den er gut kannte und dem er traute. Dann konnte ich neben Richardt sitzen, ihm immerzu die Hand halten und ihn durch die Gefühlsausbrüche hindurchlotsen, die sich mit und ohne Grund einstellten. Was löste seine schlimmen Reaktionen aus? War es seine Wahrnehmung dessen, was er sah – und was ich nicht sah?

Eine Rundreise durch die Orte seiner Kindheit löste keinerlei Reaktion aus, ebenso wenig der Besuch des Grabes seiner Eltern, das für ihn früher ein wichtiger Ort gewesen war. Ganz im Gegensatz zu seiner alten Arbeitsstelle …

Was war die Ursache dafür, dass seine Arbeit Unruhe und schmerzhafte Gefühle in ihm weckte? Er kam ständig auf dieses Thema zurück, behauptete, dass es »sein Fehler« gewesen sei, dass er etwas falsch gemacht habe. Vorgesetzte und Mitarbeiter, die ihn besuchten, versuchten nach besten Kräften, ihn davon zu überzeugen, dass er gute Arbeit geleistet hatte. Ihre Worte beruhigten ihn für eine Weile, bis die gleiche Unruhe und das gleiche Bedauern von vorn anfingen. Wie konnten wir ihm dies nur ersparen?

Nach langen Überlegungen und der Überwindung einiger praktischer Schwierigkeiten ergab sich schließlich die Gelegenheit zu einem Besuch zu Hause. Auf dem Weg zum Haus war nicht zu spüren, dass er etwas wiedererkannte, doch seine Augen, als er sich im Wohnzimmer umsah … Warum hatten wir dies nicht schon früher getan?

Nachdem sich die erste Begeisterung gelegt hatte, wurde Richardt unruhig, konnte sich aber allmählich beruhigen, sodass wir eine schöne Zeit miteinander verbringen konnten. Ja, mehr als das sogar. Er nahm am Gespräch teil und erzählte von sich aus kleine Episoden, die in den Zusammenhang passten. Erneut erlebte ich einen kleinen Teil meines wenn auch nicht gerade »alten« Liebsten, aber auf jeden Fall des Liebsten, der er vor seinem Umzug gewesen war. Und ich zweifelte nicht daran, dass er wusste, wo er war, was gewesen war und was kommen würde …

Seine Reaktion blieb nicht aus, als wir uns auf die Rückfahrt vorbereiten mussten. Sie war unglaublich stark, doch die Freude über den Besuch wog sie wieder auf. Dieser Besuch wurde der erste von vielen.

Die Ansammlung vieler unbekannter Menschen ängstigte Richardt immer mehr, was schließlich dazu führte, dass wir unsere

Spaziergänge zum nächstgelegenen Einkaufszentrum und unsere Cafébesuche aufgeben mussten. Diese Ausflüge waren schön gewesen – und schrecklich. Schön, weil es immer gut tat, für einen Augenblick aus dem Pflegeheim zu entkommen. Es war wie eine Pause vom Leben in der Institution. Gleichzeitig waren sie schrecklich, weil wir uns auf andere Menschen einstellen mussten, die nicht wussten, wie sie sich verhalten sollten, wenn jemand »anders« war. Wieder einmal lernten wir viel über Menschen, und ich lernte mehr über mich selbst.

Der erste Cafébesuch, als ich Richardt aus der Jacke half, ihn auf den Stuhl setzte, ihm zeigte, wie er die Tasse auf die Untertasse zurückstellen musste, welches Kuchenstück ihm gehörte, ihm nach dem Essen den Mund abwischte, darauf achtete, dass er nicht das Essen anderer Gäste nahm oder ein anderes Service … All das, was vollkommen natürlich ist, wenn man Mutter von kleinen Kindern ist, was allerdings gar nicht so natürlich ist, wenn man es mit einem erwachsenen Mann zu tun hat. Nicht, wenn andere zugegen sind.

All die Aufmerksamkeit, die mehr oder weniger uns galt, empfand ich als lästig, lernte allerdings auch, damit umzugehen. Ich schätzte die Dame sehr, die an unserem Tisch vorbeiging und kurz stehen blieb, um uns zu sagen, dass sie uns eine Weile beobachtet habe und es so schien, als würden wir es uns gut gehen lassen. »Sie genießen es hier so richtig«, sagte sie direkt an Richardt gewandt und wurde mit einem herzlichen Lächeln belohnt, das er nur noch selten zeigte.

»Ich muss mal«, sagte Richardt plötzlich. Schon lange hatte er diese Funktion seines Körpers nicht mehr kontrollieren können und wurde deshalb gewindelt, aber für gewöhnlich erkannte ich die Signale, wenn sich etwas anbahnte. Wenn wir »zu Hause« waren, ging ich mit ihm auf die Toilette, wohl wissend, dass es schon zu spät war, wechselte die Windel und brachte alles wieder in Ordnung. Aber hier? Das Café war voller Menschen, die Toilette klein und eng. Und welche sollte ich überhaupt wählen? Die Damen- oder die Herrentoilette? Hinzu kam außerdem, dass ich zum Wechseln nichts für ihn mithatte. Peinlich berührt versuchte ich, die

Aufmerksamkeit von ihm abzulenken, aber dieser Tag war einer von jenen, an denen es nutzlos war. »Ich muss mal«, sagte Richardt erneut, dieses Mal etwas lauter. »Dann gehen wir nach Hause und gehen da auf die Toilette«, erwiderte ich letzten Endes. Puterrot im Gesicht ließ ich Kaffee und Kuchen stehen, erhob mich und hatte das Gefühl, als ob sämtliche Cafébesucher den Zwischenfall mitverfolgten. Selten war es so schwierig gewesen, ihm Jacke, Handschuhe, Schal und Mütze anzuziehen und aufzusetzen.

Ach, mein Liebster, ich habe noch immer viel zu lernen.

Richardt liebte es, Besuch zu bekommen. Nicht immer konnte er seinen Besuch richtig einordnen, aber es kam vor, dass er mir überraschenderweise berichten konnte, wer da gewesen war. Seine Kinder vergaß er nie. Manchmal erzählte er mir Dinge über sie, die ich bezweifelte, die sich jedoch später bestätigten. Und auf seine Art nahm er an ihrem Leben teil.

Ein Freund aus Kinderzeiten war einer von denen, die nicht aufgaben. Er kam immer wieder. Einige Male erlebte er wahrscheinlich das Gleiche wie ich, dass sich Richardt zwar über seinen Besuch freute, sich aber nicht sicher war, welchen Bezug er zu seinem Gast hatte.

Richardt freute sich immer, wenn ich kam. Manchmal fragte ich mich allerdings, ob er wirklich wusste, welche Rolle ich in seinem Leben spielte. Bis zu dem Zeitpunkt, als jeglicher Zweifel vom Tisch gefegt wurde:

»Willst du mich heiraten?« Ich hörte seine Frage, glaubte aber, mich verhört zu haben. Ich hatte ihm den Rücken zugewandt und stand mit meinem Gesicht zum Spiegel, in dem ich ihn sehen konnte. In diesem Augenblick konnte ich keine Leere in seinem Gesicht entdecken. Langsam drehte ich mich zu ihm herum, und er wiederholte seine Frage: »Willst du mich heiraten?«

Nichts hatte ich so sehr bereut wie eben dies, ihm früher seinen Wunsch, mich zu heiraten, abgeschlagen zu haben. Aber ich glaubte damals, dass es ausreichte, wenn wir uns liebten. Eine schriftliche Bestätigung dafür brauchten wir nicht, meinte ich, und hatte anscheinend gar nicht verstanden, wie viel es ihm bedeutet hätte.

Doch jetzt konnten wir nicht. Nicht unter diesen Umständen.

»Ja, mein Geliebter, das will ich, aber wir können nicht.«

Vielleicht reichte die Antwort aus, vielleicht lag es an der Krankheit, aber ich sah, dass Richardts Gesicht leer wurde, sah, dass er wieder abwesend war.

»Du musst bei all dem auch an dich denken«, sagten Freunde, die es gut mit mir meinten. Oh, wie ich diese Worte hasste! Wie sollte ich es ihrer Meinung nach machen? Oder wenn mir gesagt wurde, dass ich einfach anrufen sollte, wenn etwas sei. Was denn? Was wollten sie damit sagen?

Die Angst vor den falschen Worten, den Missverständnissen, die durch Unüberlegtheit oder fehlendes Wissen entstanden, war größer als der Glaube daran, dass es jemanden geben könnte, der Richardts oder mein Leben leichter machte, dies wollte oder überhaupt dazu in der Lage wäre.

Glücklicherweise hatte ich noch immer zu der Psychologin Kontakt, die uns nach wie vor begleitete. Sie war eine unschätzbare Hilfe, und meine regelmäßigen Besuche bei ihr – sowie ihr großzügiges Angebot, sie rund um die Uhr anrufen zu dürfen – hielten mich aufrecht. Bei ihr konnte ich weinen und lachen, gerechte und ungerechte Beschwerden loswerden und die Wut herauslassen, die mich manchmal zu zerreißen drohte. Sie ließ mich reden und toben und gab mir Ratschläge, wo es nötig war. Neben ihrer großen Erfahrung mit Menschen, ihrer realistischen Haltung und praktischen Veranlagung halfen mir ihre Kenntnisse über die Krankheit am meisten. Sie wusste, wovon ich sprach, verstand die Ursachen und erkannte die Folgen falscher oder fehlender Maßnahmen.

Sie stattete Richardt ebenfalls Krankenbesuche ab, doch es war nicht mehr möglich, ihm durch Gespräche zu helfen. Mir hingegen half es, einige der Sorgen, die ich in Bezug auf die Krankheitsfolgen und ihre Behandlung hatte und die zusätzlich an mir zehrten, bestätigt oder entkräftet zu bekommen.

Die Ängste, die Richardt die ganze Krankheit hindurch gequält hatten, verstärkten sich weiter. »Das Positive an der Alzheimer-

Krankheit ist, dass es eine Krankheit ohne Schmerzen ist«, hatte ich einmal gesagt. Wie ich mich doch geirrt hatte! Zwar waren es keine körperlichen Schmerzen, aber psychische …

Richardts Schreie, während sich sein Gesicht voll Entsetzen verzerrte … Seine Augen voll abgrundtiefer Angst und Schmerz. Sein Flehen um Hilfe: »Hilf mir, hilf mir doch!« Sein Leiden in der Stimme, die in Schreie überging, je bedrohlicher »etwas« wurde – und in einem »NEIN!« endete, das so voller Schrecken und Grauen war, dass man es nicht aushielt. Bis der Anfall seinen Höhepunkt in völliger Erschöpfung und einem komaähnlichen Zustand erreicht hatte. Dann war es für dieses Mal vorbei. »Das schaffe ich nicht, ich halte es nicht aus«, sagte die Schwester, während sie sich die Ohren zuhielt und ihr die Tränen über das Gesicht liefen – einer erfahrenen Schwester mit mehrjähriger Berufserfahrung.

Wie hielt Richardt das aus? Was erlebte er? Wie konnten wir helfen, wenn niemand wusste, was diese Angst verursachte? Und man nicht mehr zu ihm vordringen konnte?

Manchmal konnte ich verhindern, dass der Anfall zum Ausbruch kam. Ich sah ihn kommen, wenn Richardts Hände sich zu bewegen begannen, wenn er zusammenhanglos vor sich hin murmelte, seine Augen nach innen blickten und der letzte Rest von Leben aus seinem Gesicht wich. Durch intensives Sprechen mit ihm konnte ich ihn manchmal wieder zu mir zurückholen; doch das geschah nur in glücklichen Momenten.

Oft war dieses Stadium schon vorbei, bevor ich bemerkte, was vor sich ging. Hatte ich – er – Glück, konnte ich es noch verhindern, indem ich ihn kräftig anpackte, ihn schüttelte und ihm ins Gesicht schlug, um so in sein Inneres vorzudringen. Es sah brutal aus und schockierte die meisten, die dies zum ersten Mal miterlebten. Doch noch schockierter waren sie, wenn ich den Anfall nicht mehr unterbrechen konnte. Und das war immer häufiger der Fall.

»Hilf mir zu sterben«, bat Richardt. Seine Augen wirkten überraschend klar. Er wiederholte seine Bitte mehrmals, sogar gegenüber der Schwester, zu der er sich am meisten hingezogen fühlte.

Doch wie sollten wir dies tun? Der Gedanke schockierte mich nicht, ich schlug mich mit verschiedenen Alternativen herum, wusste aber wohl tief in mir, dass ich es nie realisieren könnte.

Späte Nachmittagsstunde. Die Sonne ging langsam unter und gab dem Zimmer das spezielle Licht, das Frieden ausstrahlt. Richardt schlief, als ich kam. Sein Gesicht war friedlich, die für gewöhnlich angespannten Züge waren geglättet und die Schmerzen schienen wie weggeblasen. Ich saß lange am Bett, bevor ich mich zu wundern begann. War dies wirklich Schlaf? Ich drückte seine Hand, ohne dass er reagierte. Strich ihm über sein Gesicht. Nach wie vor nichts. Meine Finger fanden seinen Puls; er war schwach. Ungleichmäßig und schwach. Ein plötzliches Zucken durch seinen Körper und dann die gleiche Ruhe. War dies das Ende? Ich blieb ruhig sitzen, wusste sofort, dass ich nichts unternehmen würde, um das, was eventuell im Begriff war zu geschehen, zu verhindern. Richardt und ich – allein. So sollte es sein. Ich *wollte*, dass es so sein sollte. Plötzlich zweifelte ich nicht daran, was ich tun würde.

Am Fußende von Richardts Bett lag ein extra Kissen. Ohne zu zögern, legte ich es über sein Gesicht und hielt es dort fest, bis ich spürte, dass er sich bewegte. Ein winziges Zucken. War das Widerstand? Ich schaffte es nicht, das Kissen fester zuzudrücken.

Mein Liebster, erneut hatte ich versagt. Die Gedanken über die Folgen für mich standen mir in all ihrer Schrecklichkeit vor Augen. Und ich war nicht stark genug, mein Egoismus hatte gesiegt. Vergib mir, weil ich es nicht geschafft habe, dich von deinen Leiden zu erlösen.

Nach und nach musste ich für vieles um Vergebung bitten. Aber etwas konnte ich für ihn tun: seinen eigenen Wunsch übermitteln, nicht künstlich am Leben gehalten zu werden, wenn die Zeit gekommen war.

Richardts Wunsch wurde auf der Abteilung mit Verständnis aufgenommen, jedoch nur mit einer Dokumentation in den Händen. Dafür hatte es zu viele Zeitungsberichte zu Medikamentenmissbrauch und Sterbehilfe gegeben. Es wurde eine schriftliche Erklärung gewünscht, dass dies der Wunsch des Patienten war.

Ich konnte diese Entscheidung nicht allein treffen; ich wollte sicher sein, dass sie von anderen Angehörigen geteilt wurde. Richardts Sohn, viel zu jung, um mit Leben und Tod auf diese Weise konfrontiert zu werden, aber mit Erfahrungen, die ihn früh erwachsen werden ließen, gab sein Einverständnis, und gemeinsam verfassten wir ein Schreiben, das der Krankenakte beigefügt wurde. Hierin machten wir ausdrücklich darauf aufmerksam, dass es der Wunsch des Patienten war, ohne lebensverlängernde Medikamentenverabreichung zu sterben, wenn die Zeit gekommen war.

Ich glaube, auf dem Papier waren keine Tränenspuren, doch das war reiner Zufall.

Und wieder wurde Richardt von Angstanfällen in bisher unbekannter Stärke übermannt.

Warum versuchte man es nicht mit Medikamenten? Sämtliche Anfragen an den Arzt musste man über die Abteilungsleiterin an ihn richten; diese war allerdings nur dann da, wenn ich im Büro war. Der Arzt kam nur zweimal in der Woche für wenige Stunden, und diese Zeit sollte mit der Dienstzeit und den Sitzungen der Abteilungsleiterin übereinstimmen, und außerdem musste sie mit 70–75 Mitpatienten und deren Abteilungsleitern geteilt werden. Den Bericht über Richardts Zustand gab die Schwester, die zu dem Zeitpunkt Dienst hatte. Hatte er »Glück«, bekam er in Anwesenheit einer erfahrenen, fest angestellten Schwester seine Anfälle. Der Bericht konnte aber genauso gut von einer gelegentlichen Aushilfe abgegeben werden.

Durch viele Bitten hatte ich erreicht, dass mir acht Monate nach Richardts Einweisung ein Gespräch mit dem Arzt gewährt wurde. Doch, sie hatten Beruhigungsmittel in Erwägung gezogen, hatten es auch ein wenig damit versucht, aber … Mir wurde von allen Schwierigkeiten berichtet, allen Nebenwirkungen, was sie ausprobiert hatten, und wie froh sie waren, dass es engagierte Angehörige gab. Welches Potenzial wir doch waren. Sie waren bestrebt, besser zu informieren, doch leider klappte das noch nicht so ganz.

Vielen Dank, das brauchte mir niemand zu erzählen.

Im Verlauf des Gesprächs machte ich fleißig Notizen und wurde dabei misstrauisch angesehen, insbesondere von der Abteilungsleiterin, die überraschend darauf bestanden hatte, mit anwesend zu sein. Glücklicherweise war ich weiterhin in gutem Kontakt mit dem Arzt, der Richardts Diagnose gestellt hatte. Er war Professor und Experte für Demenzkrankheiten und hatte mir die Erlaubnis gegeben, dem Arzt des Pflegeheims mitzuteilen, dass er ihn bei eventuellen Rückfragen gerne kontaktieren könne. Bis zu Richardts Einweisung waren wir schließlich seine Patienten gewesen.

Das großzügige Angebot wurde am Ende auch in Anspruch genommen – vom Arzt für Allgemeinmedizin –, doch erst nach neuen, nervenaufreibenden Durchgängen.

Meine Notizen nutzte ich, um mir nebenbei mehr Kenntnisse und Einsichten zu verschaffen. Denn wie sich herausstellte, stimmte nicht alles, was ich im Laufe des Gesprächs mit dem Arzt erfahren hatte, mit der Realität überein. Erneut bestätigte sich, was ich bereits erlebt hatte: Auf allen Ebenen herrschte große Unkenntnis über die Alzheimer-Krankheit.

Unkenntnis hin oder her, keiner wollte oder konnte mit ansehen, dass Richardt immer mehr litt. Nach einiger Zeit wurde ihm eine verhältnismäßig hohe Dosis Beruhigungsmittel verabreicht. Aber wieso musste ich es immer sein, die die Initiative ergriff, damit etwas getan wurde?

Wenn mir doch irgendwann jemand das Gefühl der Verantwortung abnehmen würde!

Doch unser Leben ging weiter.

Ganz im Gegensatz zu Richardt lernte ich seine Mitpatienten zu schätzen.

Dieses kleine, liebe Mütterchen, das durch die jahrelange harte Arbeit ganz gekrümmt ging und nun erneut ihr »Glück« gefunden hatte. Ob sie wirklich glaubte, dass es ihr Mann sei, der früh verstorben und nun zurückgekommen war, oder ob sie wirklich verstand, dass dies ein anderer war, wusste niemand. Doch ganz sicher war, dass sie sehr viel Freude miteinander hatten, diese beiden, wenn sie Hand in Hand über den Flur gingen. Und jeden Abend war sie voller Dankbarkeit, weil sie in ihrem Zimmer übernachten durfte. Jeden Abend fragte sie danach, und jeden Abend bekam sie die gleiche Antwort. Sie dankte jeden Abend genauso freundlich wie in all den Jahren, in denen sie schon dort wohnte.

Wenn sie etwas mehr über das Leben im Pflegeheim gewusst hätten, hätten die erwachsenen Kinder es vielleicht nicht als so schwierig empfunden, dass ihr Vater sie als »meine Frau« bezeichnete.

Großen Dank bin ich der Schriftstellerin für ein besonderes Erlebnis schuldig, das ich durch sie hatte. Sie, die nicht mehr wusste, wo sie war, weshalb sie dort war, aber die so lebhaft von ihrer spannenden und ausgefüllten Kindheit vor mehr als 80 Jahren erzählen konnte. Sie, die ohne zu zögern acht Strophen eines Kirchenliedes vortragen konnte, das sie selbst gedichtet hatte.

Sie war in guten Verhältnissen aufgewachsen, hatte eine gewisse Vornehmheit beibehalten und gehörte der Generation von Frauen an, die nie ihre Handtasche losließ. In Gedanken sehe ich sie vor mir, wie sie mit ihrer Handtasche auf dem Schoß am Mittagstisch saß. Die Mahlzeit war zur Hälfte eingenommen, als plötzlich ein großer, kräftiger männlicher Bewohner in der Tür stand, lediglich im Adamskostüm – und mit einem Schlips. Sie warf nur einen Blick auf ihn, hob die eine Augenbraue und sagte: »Es ist ja wohl normaler, bekleidet zu sein.« Woraufhin sie ihre Mahlzeit weiter einnahm.

Es war wichtig, nicht das Lachen zu verlernen. Allerdings ging es darum, *mit* jemandem zu lachen oder ihn anzulachen – nie über ihn zu lachen. Und zu lachen gab es manchmal reichlich. Manchmal war es nicht so einfach herauszufinden, was das Lachen eigentlich ausgelöst hatte, doch das spielte keine Rolle. Es tat gut, aus der Sofaecke ein Lachen zu hören, wo ein Bewohner sich selbst eine schöne Geschichte erzählte.

Gute Tage und schlechte Tage. Schreiende, tobende Stimmen tönten mir entgegen, bevor ich die Tür zur Abteilung geöffnet hatte. Ich merkte, dass ich zusammenzuckte und mich innerlich stark machte für das, was mich auf der Abteilung erwartete. Auf dem Sofa an der Wand saßen vier Bewohner mit großen, angsterfüllten Augen und machten sich so klein wie möglich. Auf einem Stuhl gegenüber saß die Frau, die vor kurzem eine Oberschenkelhalsoperation gehabt hatte. Sie war festgebunden, weil dies die einzige Möglichkeit war, sie ruhig zu stellen. Ihr Bein durfte nicht belastet werden. Jetzt tobte sie, riss und zerrte an den Bandagen, die sie behinderten, und kreischte.

Die Ursache von all dem Lärm, den ich hörte, war dies allerdings nicht. Weiter hinten auf dem Flur sah ich zwei Schwestern auf das Zimmer eines Bewohners zueilen, wo sie mit einer dritten zusammenstießen, die aus dem Zimmer lief.

»Ruft die Bereitschaft, wir brauchen hier Verstärkung.«

Und ich wusste, was sich anbahnte. Jetzt wütete er wieder wie ein Berserker, dieser ruhige, in sich gekehrte Patient, der so voller Frustrationen, Angst und Zorn war, dass man nie wusste, was einen solchen Anfall auslösen konnte. Hatte er sich schließlich beruhigt, kam er in ein vollkommen zerstörtes Zimmer zurück. Wurde ihm dann bewusst, dass dies sein Werk gewesen war, durchlitt er schreckliche Qualen. Ich hatte ihn einige Male direkt nach einem solchen Anfall gesehen. Dann ging es ihm nicht gut.

Durch all den Lärm, all die Angst hindurch schlief er, mein Liebster. Zum Glück. Denn solche Erlebnisse zogen erhebliche Folgen nach sich. Die Unruhe hing stundenlang, ja oft sogar die ganze Nacht, in den Wänden. Aber Richardt schlief – genauso wie in der Woche zuvor, als der Feueralarm in seinem Zimmer ausgelöst wurde und schrille Töne erzeugte und drei Feuerwehrleute in voller Ausrüstung nach einer Weile in seinem kleinen Zimmer standen.

Glücklicherweise war es nur etwas Unbedeutendes, das schnell in Ordnung gebracht werden konnte. Doch der Nachtwache, die die alleinige Verantwortung für zwölf Personen mit Demenz hatte, jagte dies einen großen Schrecken ein. Denn einige, wie mein Liebster, wachten überhaupt nicht auf, während andere glaubten, dass es Fliegeralarm sei, und von Panik ergriffen wurden. Andere wiederum weigerten sich, ihr Zimmer zu verlassen. Die Brandschutzordnung schrieb vor, dass sich das gesamte Personal dort einzufinden hatte, wo der Feueralarm ausgelöst wurde, doch sie sagte nichts darüber aus, wie viele Personen Nachtwache haben sollten …

In dieser Nacht schlief Richardt gut, ganz im Gegensatz zu der Nacht, in der er Besuch bekommen hatte. Unsere Gefühle sterben zuletzt, doch ich bin mir nicht ganz so sicher, welche Gefühle sie im Sinn hatte, die rund 30 Jahre ältere Mitpatientin, die Richardt einen heftigen Schrecken einjagte, als sie in einer späten Nachtstunde in sein Bett gekrochen kam. Er liebte Frauen, wollte aber am liebsten selbst entscheiden. Wahrscheinlich war er mehr von der jungen Nachtschwester angetan, die ihm zu Hilfe eilte.

»Kannst du nicht heute Nacht hier bleiben?« Ich hatte die Frage schon vorher mehrmals bekommen, und genauso oft war ich einer direkten Antwort auf die Frage ausgewichen. Denn Richardt wollte noch immer mein Geliebter sein, er wollte ein Mann sein.

Auch ich hätte mir alles anders vorstellen können. Nicht nur er vermisste diesen Teil unseres Lebens, aber er war einfach nicht mehr der Gleiche wie der, mit dem ich einst diese Freuden geteilt hatte.

Kurz nach Richardts Einzug – wir waren ein wenig zur Ruhe gekommen und hatten uns mit dem Umfeld vertraut gemacht – hatte eine Schwester dieses Thema kurz angesprochen. Auf jeden Fall hatte ich es so aufgefasst. »Wie Sie sehen, hat die Tür ein Schloss«, sagte sie, »sodass Sie auch ganz für sich allein sein können.«

Und ich war wirklich sehr froh, dass sie es überhaupt erwähnt hatte und fast eine Art Bestätigung dafür gab, dass sie verstanden. Verstehen wollten.

Für mich war es allerdings undenkbar. Noch immer war ich voller Gefühle für Richardt. Voller Gefühle der Zuneigung und Fürsorge, des Respekts, des Mitleids, manchmal des Stolzes darüber, wie er noch immer sein Leben bewältigte, und inniger Liebe – doch nicht der körperlichen Hingabe. Ihm einen Kuss zu geben konnte hin und wieder abstoßend auf mich wirken, doch ihm zuliebe konnte ich es trotzdem tun. All das andere hingegen …

Vergib mir, mein Geliebter, dass ich dir nicht weiter entgegenkommen konnte.

Ein verheirateter Bekannter von mir sah es vielleicht als eine gute Tat an, als er mich eines Abends anrief und mir vorschlug, dass wir uns einmal treffen sollten, etwas diskret, nur er und ich. »Denn ich hatte gedacht, dass wir vielleicht …« Ich ließ ihn nicht ausreden, sondern sagte ihm, was ich von dem Vorschlag hielt, und dass ich noch immer einen Mann hatte. Sollte mein Bedürfnis zu stark werden, würde ich gerne selbst wählen wollen.

Es war ein erniedrigendes Gefühl.

So lernte ich noch mehr dazu.

Weihnachten – die Zeit der Gefühle. Schrecklich für diejenigen, denen es schlecht geht, und schön für die, denen es gut geht.

Weihnachten im Pflegeheim. Girlanden an der Decke, große Weihnachtsmänner, kleine Weihnachtsmänner, Gold und Glitzer.

Es wurde ein Weihnachten – auch in dieser Umgebung.

Ich hatte hin und her überlegt, verworfen und erneut überlegt und war letztendlich zu dem Entschluss gekommen, dass es am besten für uns wäre, wenn ich Weihnachten mit Richardt im Pflegeheim feierte. Er war zu krank, um an einem Weihnachtsurlaub zu Hause und an Weihnachtstraditionen Freude zu haben, die er vielleicht anders in Erinnerung hatte. Schließlich wusste ich nicht, woran er sich noch erinnern konnte. Für meinen engsten Familienkreis gehörte Richardt nicht mehr zur Weihnachtstradition dazu.

Der Vormittag im Pflegeheim war hektisch gewesen. Die meisten Bewohner verbrachten Weihnachten dort, sodass der Besucherstrom im Laufe des Vormittags groß war.

Als es Nachmittag wurde, kehrte langsam Ruhe in die Abteilung ein. Ich wusste, dass große Vorbereitungen getroffen waren. Mit guter – und weniger guter – Unterstützung vieler Heimbewohner hatte man die Abteilung geschmückt und Plätzchen gebacken.

Und es war ein Erlebnis, an Heiligabend nicht nur die Abteilung festlich geschmückt zu sehen, sondern auch all die Mitarbeiter, die sich in ihrer festlichen Kleidung freiwillig zur Arbeit gemeldet hatten. Ich wusste, dass sich hinter den Kulissen ein Kampf abgespielt hatte. Die Pflegeheimleitung hatte entschieden, dass das Mittagessen um ein Uhr serviert werden sollte. Die Küche habe ihre Arbeitszeiten, und das Budget erlaube keine Überstunden mit Feiertagszuschlag.

Die Abteilungsleiterin gebot Einhalt. Das Weihnachtsessen gäbe es immer um sechs Uhr abends. Und hieß es nicht Pflege*heim*?

Es wurde schließlich so gemacht, wie sie es wollte.

Und wer gern ein Glas Aquavit zum Essen haben wollte – es gab Rippchen mit Sauerkraut –, dem wurde sogar dieser Wunsch erfüllt.

Zwar waren die Kerzen auf dem Tisch ein weiterer Verstoß gegen die Vorschriften, doch dafür warfen sie einfach noch mehr Glanz auf die festlich gekleideten Bewohner. Der Schein der Kerzen ließ den Silberschmuck der Trachtenkleider und die Krawattennadeln an den dunklen Anzügen und den weißen Hemdeinsätzen erstrahlen. Auch die Schwestern in ihren Abendkleidern waren von strahlendem Kerzenschein umgeben. Ich spürte die erwartungsvolle Stimmung an der festlich gedeckten Tafel.

Es war eine herzliche, warme Atmosphäre.

Mitten in das bedrückende Gefühl, Teil einer solchen Weihnachtsfeier sein zu müssen – Richardt und ich, fern all unserer schönen Traditionen – mischte sich plötzlich ein ganz anderer Gedanke: Wie schön es doch hier ist, wie stimmungsvoll! Und ich war voller Verwunderung und Dankbarkeit, dass es Menschen gab, die sich so für ihre Arbeit engagierten und solch eine schöne Atmosphäre schaffen konnten.

Ich war gespannt, wie Richardt auf die ganze Aufregung reagieren würde, die unweigerlich durch die Abweichung vom täglichen Rhythmus verursacht wurde, doch ich hätte gar keine Angst haben müssen. Mein Liebster saß da in seiner roten Strickjacke – der Weihnachtsjacke – und einem weißen Oberhemd mit Schlips, fast wie in alten Zeiten, lächelte hin und wieder ein wenig und schien sich über das Essen, das ihm serviert wurde, zu freuen. Er sagte nicht viel, machte allerdings einen unbesorgten und zufriedenen Eindruck. Aber Aquavit wollte er nicht haben.

Dann bekamen wir plötzlich Besuch. In bester Weihnachtsstimmung und mit der größten Selbstverständlichkeit kam eine Familie herein, um kurz bei ihrer Mutter vorbeizuschauen, bevor es zur eigenen Weihnachtsfeier weitergehen sollte. Was hatten sie sich dabei gedacht? Wollten sie ihr eigenes schlechtes Gewissen beruhigen? Hätten sie auch bei jemand anderem aus der Familie Heiligabend abends um halb sieben »kurz vorbeigeschaut«?

Die Stimmung war vorbei, aus den Bewohnern wurden wieder Patienten und die »Gäste« wurden wieder zum Pflegepersonal. Geblieben war ein chaotisches Essen im Pflegeheim.

Vielleicht meinte die Familie, dass sie ihrer Mutter mit ihrem Besuch einen Gefallen tun würde, weil in den früheren Jahren zur Weihnachtszeit nur weiß gekleidete Schwestern auf der Abteilung waren und die Patienten zum Abendessen belegte Brote mit Ziegenkäse aßen. Genauso, wie wir es im folgenden Jahr an Weihnachten erleben mussten. Dieses Mal hatte nur Personal mit einem anderen kulturellen Hintergrund Dienst, und obwohl der Wille vorhanden war, war es für sie ohne Richtlinien nicht möglich gewesen, norwegische Weihnachten zu feiern.

Dank des unermüdlichen Einsatzes des Personals verlief dieser Heiligabend sehr gemütlich, trotz der Verärgerung und der unterbrochenen Mahlzeit. Für mich wurde es eine der besten Erinnerungen an das Pflegeheim.

Doch an Weihnachtsgeschenke für Familienmitglieder oder etwas außer der Reihe, das man den Besuchern hätte anbieten können, war nicht zu denken, obwohl es der Wunsch der Bewohner gewesen war. Denn die Größe des Eigenanteils für den Pflegeheimaufenthalt berechnet sich aus dem Nettoeinkommen nach Abzug der Steuern.

Über die Steuerbefreiung im Dezember konnte sich letztendlich das Pflegeheim freuen.

Frühling – weißstämmige Birken mit sprießendem Laub und ganze Hänge voller Anemonen. Konnte Richardt dies alles noch immer wahrnehmen?

Der Winter war lang gewesen. Richardt konnte schlecht gehen und fror sehr leicht, wie dick ich ihn auch anzog. Die meisten Spaziergänge fanden deshalb im Pflegeheim statt – raus aus der Abteilung, durch die Cafeteria, durch die nächste Abteilung, danach eine Pause in der Bibliothek und dann zurück. Unser Rundgang blieb immer der gleiche. Kleine Versuche, die Strecke ein wenig zu verändern, scheiterten, weil Richardt vor den Abteilungen mit Patienten, denen es noch schlechter ging als ihm selbst, Angst hatte.

Autofahrten im Winter machten uns auch keinen Spaß, weder ihm noch mir.

Aber dann kam endlich der Frühling.

An einem sonnigen Vormittag fuhren wir stadtauswärts. Richardt war in guter Verfassung, fröhlich und gut aufgelegt, als ich ihn abholte; er war kooperativ, als er ins Auto steigen sollte, und akzeptierte sogar, dass er sich anschnallen musste.

»Hast du Lust auf einen kleinen Waldspaziergang?«

Er lächelte und nickte: »Ja, das wäre schön!« Ich sah ihn an – meinte er es wirklich? Lassen wir uns überraschen.

Wir fanden einen entlegenen Waldweg, parkten und gingen einige Meter in den Wald hinein. So weit das Auge reichte, bildeten Anemonen einen wogenden Teppich zwischen den Bäumen. Zu Beginn wartete Richardt geduldig auf mich, während ich Blumen pflückte. Meine Hand wollte er dabei nicht loslassen, traute sich vielleicht nicht. Etwas vorsichtig bückte er sich und pflückte selbst eine Anemone. Und noch eine und noch eine. Jetzt war ich es, die auf ihn wartete. Ich folgte ihm auch nicht, als er weiterging, sondern blieb einfach stehen und sah ihm nach. Und sein Blumenstrauß wurde immer größer.

Als Richardt plötzlich merkte, dass er zwischen all den Bäumen ganz allein war, spürte ich bei ihm die Angst aufsteigen. Doch ich sah auch sein Lächeln, als ich ihn rief und ihm bewusst wurde, dass ich in seiner Nähe war.

Seine Blumen – ein wunderschöner Haufen von Stielen ohne Blüten und Blüten ohne Stiele – war der schönste Strauß, den ich jemals bekommen habe.

Frühling bedeutet auch Blaskapellen, Musik und Freude am Musizieren. Trotz unseres Alters waren wir vor Ausbruch von Richardts Krankheit gemeinsam mit guten Freunden eifrige Anhänger einer beliebten und bekannten Kapelle gewesen. Wir waren auf mehreren Veranstaltungen gewesen, auf denen sie aufgetreten war, und hatten mit ihr die Freude am Musizieren und an den schwingenden Rhythmen geteilt. Es war sehr bedauerlich, dass Richardt auch diese Freude genommen werden sollte. Schließlich hatte ich gemerkt, dass ihm Musik noch immer viel bedeutete.

Nach einigem Überlegen schrieb ich der Kapelle, erzählte Richardts Geschichte und sagte, dass er zwar nicht mehr in der Lage sei, zu ihnen zu kommen, aber vielleicht könnten ja sie …?

Die Antwort ließ nicht lange auf sich warten: Wir kommen!

Danke von Herzen – in Richardts Namen, in meinem Namen und nicht zuletzt im Namen aller Heimbewohner! Es wurde ein Festtag, auch für die Mitglieder der Blaskapelle. Wahrscheinlich hatten sie vorher noch nie so viele Dirigenten gehabt oder ein so begeistertes Publikum. Eine kleine, schmächtige Frau, eher 90 als 80, wurde von zwei Schwestern gehalten, während sie wie ein junges Mädchen sprang und tanzte – zur großen Besorgnis der einen Schwester, die immerzu versuchte, sie zu beruhigen, bis die andere Schwester sagte: »Lass sie weitermachen. Siehst du denn nicht, wie gut es ihr geht?« »Ja, aber ihr Herz …«, erwiderte die besorgte Schwester. Daraufhin drehte sich die andere Schwester zu ihr um, sah sie lange an und sagte: »Ja, na und?«

Und ich vollendete ihren Gedanken im Stillen: Welche Freude, wenn man glücklich sterben kann!

Doch sie tat es nicht, jedenfalls nicht zu diesem Zeitpunkt. Die Blaskapelle kam im nächsten Jahr wieder, ohne dass wir darum gebeten hatten, und die Heimbewohnerin hatte auch an diesem Besuch wieder ihre Freude. Doch springen konnte sie nicht mehr, nun saß sie im Rollstuhl.

Aus dem Festtag, an dem die Kapelle uns besuchte, machten wir einen extra Festtag, deckten in der Eingangshalle eine lange Tafel und hatten schon vorab Freunde, Kollegen und Familien – Erwachsene und Kinder – zu Kaffee und Kuchen nach dem Konzert geladen. Wer Lust hatte, konnte kommen, und die Tafel wurde lang. Für viele von ihnen wurde es das erste schwierige Treffen mit Richardt als Pflegeheimpatient. Für einige wurde es nicht das letzte.

Für mich war die Spannung groß gewesen: Würde die Angst bei so vielen Menschen überhand nehmen? Setzte ich Richardt erneut Erlebnissen aus, an denen er keine Freude mehr empfand?

Ich hätte mir meine Sorgen sparen können. Er war zwar sehr erschöpft, aber fühlte sich wohl – sowohl draußen während des Konzerts als auch danach, als er ein Gesicht nach dem anderen wiedererkannte. Und die meisten von ihnen konnte er beim Namen nennen …

Nicht nur die Blasmusik schuf ein Fest. Auch die Töne klirrender Flaschen und Gläser auf dem Servierwagen sorgten für ein Fest im Alltag.

Frühe Abendstunde. Die Gardinen waren zugezogen, um die regenschwere Herbstfinsternis nicht hereinzulassen. Kleine Lampen beleuchteten gemütlich unser Zimmer. »Die drei Tenöre« unterhielten uns vom CD-Player her, und ich merkte, wie sich in mir ein angenehmes Gefühl ausbreitete, als wir Hand in Hand beieinander saßen. Richardt sagte nicht viel, aber schenkte mir hin und wieder ein glückliches Lächeln und versuchte von sich aus, mir ein wenig den Arm zu streicheln. Sein Gesicht war ruhig, sein Körper entspannt.

Der ganze Nachmittag war schön gewesen. Es hatte mich übrigens nicht überrascht, denn bereits als ich gekommen war und die Tür zur Abteilung öffnete, hatte ich schon eine entspannte Atmosphäre wahrgenommen. Rasch machte ich mit mir selbst ein Ratespiel: Wer hat Nachtwache heute Abend? Ich hatte gewonnen. Jedes Mal war ich erneut überrascht, welch großen Unterschied es auf der Abteilung machte, wer Nachtwache hatte. Oder wie unterschiedlich dort die Atmosphäre überhaupt war je nach Abteilungsleiterin. Wir hatten zwei erlebt.

Hier saßen wir also und genossen es, am Abend zusammenzusitzen und in dieser schmerzvollen Zeit schöne Gefühle – und gute Erinnerungen – geschenkt zu bekommen. Diese Augenblicke waren kostbar.

Da klopfte es an der Tür. Auf unser »Herein« steckte die Abteilungsleiterin ihren Kopf durch die Tür. Wenn sie Nachtwache hatte, gab es an einem ganz gewöhnlichen Tag oft ein Fest. »Bei Ihnen ist es aber gemütlich! Entschuldigen Sie bitte die Störung, aber ich wollte nur wissen, ob jemand von Ihnen zum gemütlichen Abend gern ein kleines Gläschen Kognak haben möchte. Oder ein Glas Rotwein?« Vor der Tür stehe die »Bar auf Rädern«.

Kurz nach Richardts Einweisung wurde uns gesagt, dass man Alkohol im Pflegeheim durchaus trinken konnte, wenn man Lust darauf hätte, unter der Bedingung, dass er vom Personal ausgeschenkt und auch die Menge von ihm bestimmt wurde. War es auf der Abteilung harmonisch und ruhig so wie jetzt, kam es nicht selten vor, dass die Bewohner durch das Geräusch von klirrenden Gläsern und Flaschen aufmerksam wurden und in ihren Gesichtern die Erwartung zu lesen war: »Jetzt kommt sie …«

Denn es bedeutete viel mehr, als nur ein Glas Kognak, Likör oder Wein zu trinken – je nachdem, was der Einzelne am liebsten mochte und wofür er bezahlte. Für die Bewohner war es eine Überraschung im Alltag, eine Unterbrechung ihres täglichen Einerleis, eine Betonung, dass ein Abend gut und harmonisch verlaufen war. In einem Leben mit viel zu wenigen Lichtblicken.

Einen Augenblick später hörten wir aus dem Aufenthaltsraum Klaviermusik, begleitet von leisen, zittrigen Stimmen.

KAPITEL 6

Wie war es für ihn,
nicht beachtet zu werden?

»Was ist das denn?« fragte ich die Schwester, die plötzlich da stand, als ich in Richardts Badregal einen Kamm suchte und eine Rasierwasserflasche hochhielt, die ich nicht kannte. Sie sah mich etwas erstaunt an – sah ich es denn nicht selbst? Ich erklärte deshalb schnell, dass ich diese Flasche noch nie gesehen hatte und Richardt die Marke überhaupt nicht benutzte. »Ist diese mit der eines anderen Patienten verwechselt worden?«

Wie sich herausstellte, war dies nicht der Fall. Aber sie meinten, dass die Marke, die Richardt für gewöhnlich benutzte, nicht besonders gut roch. Deshalb hatten sie ihm eine andere besorgt.

Hatte ich richtig gehört?

Ja, das hatte ich. Und musste erneut erkennen, dass Richardts Meinung nicht mehr zählte. Selbst bei den persönlichsten Dingen.

Nachdem ich mich ein wenig gesammelt hatte, bemerkte ich, dass er die andere Marke benutzte, weil er sie am liebsten mochte. Genau diese Marke bevorzugte er, obwohl ich mit der Schwester einer Meinung war. Mir gefiel sie auch nicht besonders, doch wenn wir Richardt nicht einmal zu einem anderen Rasierwasser bewegen konnten, als er noch gesund war …

»Ich hatte schon bemerkt, dass er nicht mehr nach Vater roch«, sagte sein Sohn, als ich ihm die Geschichte erzählte. Wie war es für seinen Vater gewesen, nicht mehr wie er selbst zu riechen?

»Wie geht es ihm heute eigentlich?« Ich schaute kurz in die Küche und stellte die Frage der Schwester, die dort war. Sie war zwar nur eine Vertretung, hatte aber dort in der letzten Zeit oft gearbeitet. Der Grund meiner Frage war, dass ich einige Zeit an Richardts Bett gesessen hatte und er bereits schlief, als ich kam, und nach einer halben Stunde noch immer schlief. Zu einer Zeit, zu der er für gewöhnlich wach war.

»Ich denke gut, ich habe jedenfalls nichts anderes gehört«, antwortete die Schwester.

Nichts anderes *gehört?* Fiel Richardt nicht in ihren Verantwortungsbereich während ihres Dienstes? Hatte sie sich nicht einmal bemüht, es selbst herauszufinden? Die Schwester war schon eine ganze Weile im Dienst, der nächste Dienstwechsel stand kurz bevor, und dann hatte sie Richardt nicht einmal so oft gesehen, dass sie selbst hätte einschätzen können, wie es ihm ging? Ebenso wenig konnte sie mir sagen, wie lange Richardt geschlafen hatte. Wie war es für ihn, nicht beachtet zu werden, solange er ihnen nicht zur Last fiel?

Ich war bei Richardt, so oft ich konnte und so oft ich dazu in der Lage war. Trotzdem waren es viele Stunden, die ich nicht mit ihm teilen konnte, und es tat weh, wenn mir auf die Frage, wie es ihm gehe, oft geantwortet wurde: »Ich finde, es geht ihm gut.«

Das sagte mir rein gar nichts. Was ging gut? Für wen ging es gut? Für sie oder ihn? War er ein bequemer Patient, der ihnen nicht viel Arbeit machte? War das das Kriterium für »gut gehen«?

Ich wollte so gern etwas über Richardts Leben wissen, wie es sich zurzeit abspielte, alles, was ich nicht zu sehen bekam, alle Kleinigkeiten, die in seinem jetzigen Leben wichtig waren. Es musste doch mehr passieren als nur der Gang zur Toilette, Essen und Schlafen. Aber nie konnte mir jemand etwas sagen.

Bemerkten sie ihn nicht? Sahen sie Richardt einfach nicht, sofern er nicht schrie, nicht essen wollte oder ihnen andere Probleme bereitete? Wie war es für ihn, nicht beachtet zu werden?

Hatten die Schwestern *ihn* jemals gesehen? Hatten sie versucht, meinen Liebsten hinter dem Patienten zu sehen, um den sie sich kümmerten?

Wir wussten ohnehin so wenig darüber, was eigentlich in seinem Kopf vorging. Ich wusste wenig – manchmal schien es, als ob das

Personal noch weniger wusste. Aber selbst wenn ich nicht wusste, *was* geschah, war ich mir ganz sicher, *dass* etwas geschah. Manchmal sogar viel. Vielleicht mehr, als wir überhaupt ahnen konnten. Längere Zeit fehlte ihm die Sprache, doch selbst wenn er sich nicht ausdrücken konnte, waren die Worte nicht verschwunden. Plötzlich waren sie wieder da.

Auf emotionale Einflüsse reagierte Richardt sehr stark. Besonders für die Kinder war es während der Pflegeheimbesuche manchmal schwierig, ihre Tränen zurückzuhalten. Die Erinnerungen an die Vergangenheit, an ihren Vater, der er einst gewesen war, verstärkten sich für sie – speziell an denkwürdigen Tagen und Festtagen.

Samstag vor Palmsonntag. Ich wusste, dass Richardt an diesem Vormittag Besuch von seiner Familie bekommen sollte. Auf dem Weg zu ihrem Urlaubsort, der für alle ein beliebtes Ziel gewesen war, als die Kinder noch jünger waren, wollte sie kurz bei ihm vorbeischauen. Ich war also etwas überrascht, als mich am Samstagnachmittag das Pflegeheim anrief und mir mitteilte, dass Richardt weinte und unglücklich war. Für gewöhnlich freute er sich sehr über diese Besuche.

»So wie heute habe ich ihn noch nie gesehen«, sagte die Schwester, die mich anrief. »Wir haben versucht, ihn abzulenken, ihn zum Reden zu bringen, aber er kann ja nicht mehr sprechen. Ich wollte nur, dass Sie es wissen.«

Ich war sowohl froh als auch traurig. Traurig, weil es Richardt nicht gut ging, und doch froh, weil es mir die Schwester erzählt hatte. Sie hatten also endlich verstanden, dass meine Bitte um Benachrichtigung ernst gemeint war, wenn sie glaubten, dass ich Richardt helfen könnte.

»Ich bin in einer Viertelstunde da«, erwiderte ich. »Würden Sie es ihm bitte sagen? Vielleicht hilft es ja.«

Als ich kam, hatte sich Richardt etwas beruhigt. Es war ungewiss, ob der Einsatz der Schwestern oder mein Gruß den Ausschlag gegeben hatte, doch die Nachricht war ihm auf jeden Fall übermittelt worden, wie mir die Schwester sagte, die mich angerufen hatte. Richardt zeigte allerdings keine besondere Freude, mich zu sehen.

Anfangs war es nicht möglich, die zusammenhanglosen oder halben Worte, die er murmelte, zu verstehen. Doch seine Stimme stieg und sank, ich hörte abgrundtiefe Verzweiflung in seinem Tonfall, bevor dieser wieder stieg. Aus Zorn? Oder im Affekt? Nach und nach meinte ich, den Namen seines Sohnes und das Wort »tot« zu verstehen. Der Tod seines Sohnes war ausgeschlossen, also musste es eine andere Erklärung geben. Ich überlegte, was ich über die früheren Urlaubsgewohnheiten von Richardts Familie wusste. Dass er den Ort, zu dem sie unterwegs waren, sehr mochte, war mir natürlich bekannt. Dass die Zeit als Familienvater, als die Kinder noch klein waren, eine glückliche war, wusste ich auch.

Es wurde eine mühsame Wanderung durch ein unbekanntes Labyrinth, um das, was die schreckliche Verzweiflung ausgelöst hatte, zu finden. Ich musste die verzweifelten Gefühle, die Richardt überwältigten, in Worte fassen, ich musste die Ursache finden und konnte anhand seiner Reaktionen erkennen, ob ich richtig gelegen hatte oder nicht.

Später bekam ich eine Erklärung dafür, was der Auslöser des Ganzen gewesen war. Ich hatte weitestgehend richtig geraten. Weil ich ihn kannte. Und weil ich nicht akzeptieren wollte, dass es nur das in seinem Kopf gab, was er mitteilen konnte.

Aber es kostete uns beide viel Kraft. Später am Abend, nachdem er sich schließlich beruhigt und auch ein wenig geschlafen hatte, kam die Belohnung – in Form von Eis für ihn und Freude für mich:

»Kann ich das haben?« Die Schwester, die mich zuvor angerufen hatte, hielt ein Eis in der Hand, das sie geholt hatte und nun auspackte. Richardt sah lange vom Eis zu ihr hin und her. Neckend hielt sie es ihm hin und zog es wieder ein wenig zurück, als er es nehmen wollte. Da sah ich sein Lächeln. Es begann vorsichtig um den Mund, breitete sich zu seinen Augen aus, und während er das Eis zu fassen bekam, sagte er: »Verloren!«

Wie viel mehr steckte in ihm, wenn wir Zeit und Kraft aufbrachten, danach zu suchen?

Es musste nicht einmal viel kosten.

»Gibt es nicht einen Friseur hier im Haus?« Ich richtete die Frage an eine der Schwestern, die sie bejahte. Für gewöhnlich schnitt ich Richardt selbst die Haare, aber jetzt sah ich, dass sie sich mehr über den Hemdkragen kräuselten, als es ihm lieb war, und ich fand, dass die Arbeit eher von einem Fachmann gemacht werden sollte. Dafür gab es mehrere Gründe. Ich war zum einen keine Friseurin und brauchte somit lange, was für Richardt nicht einfach war. Nach einer Weile wurde er unruhig. Außerdem hatte sich sein Gesundheitszustand so sehr verschlechtert, dass ich es für angebrachter hielt, meine Besuche besser zu nutzen. Stand ich hinter ihm, bekamen wir keinen Kontakt, er sah mich nicht und wusste nicht mehr, dass ich da war.

Nachdem ich der Schwester ein wenig erklärt hatte, wie Richardt sein Haar am liebsten trug, versprach sie mir, einen Friseurtermin für ihn zu besorgen. Es durfte auf keinen Fall zu kurz sein, lieber würden wir es dann öfter schneiden lassen. Besonders eitel war Richardt zwar nie, doch sein Haarschnitt war ihm schon immer wichtig gewesen und war es sicherlich noch immer. Wir waren uns zwar nicht sicher, wussten aber auch nicht, ob es ihm jetzt unwichtig war.

Die Schwester versprach mir, es so auszurichten, und ich meinte, die Angelegenheit sei in guten Händen.

Als ich einige Tage später zu Besuch kam, war es geschehen.

Die Krankheit hatte viele Lebensjahre meines Liebsten genommen. Jetzt hatte der Friseur noch weitere geraubt.

Ich traf einen alten Mann.

Als ich Richardt sah, musste ich mit den Tränen kämpfen. Das gelang mir jedoch nur so lange, bis die Dienst habende Schwester lachte und sagte, dass der Friseur ein fast 80-jähriger Mann sei, der hin und wieder einmal vorbeischaue. »Aber effektiv ist er noch immer«, sagte sie – mit einem Lachen in der Stimme. Was empfand Richardt, als er sich danach im Spiegel sah?

Niemand wusste es.

Und was fühlte ich? Kümmerte es denn niemanden, dass es auch für mich wichtig war, dass Richardt möglichst noch immer so aussah wie mein Liebster? Dass es wichtig war, dass er seine Würde, die ihm die Krankheit nahm, so gut wie möglich wahren konnte?

Nach wie vor kaufte ich viel Neues für Richardt, Kleidung, die zu einem Mann in seinem Alter passte. Mir gefiel es nicht, dass er in ausgetretenen Filzpantoffeln herumlief. Denn abgesehen davon, was er selbst fühlte, war es einfach sehr wichtig für mich, dass er, solange es möglich war, der Mann sein konnte, den ich so sehr liebte – und zwar mit all der Würde, die er besaß.

Vielleicht war es nicht immer einfach für das Personal, daran zu denken, dass Richardt ungefähr 25 Jahre jünger war als die meisten seiner Mitpatienten, jedenfalls nicht, nachdem man mit ihm vertraut war. Weder sagte noch tat er viel, was Aufschluss über sein wahres Alter hätte geben können. Doch die Frage war, ob er sie dazu brachte, es zu vergessen, oder sie es ihn vergessen ließen …

»Weißt du, ich bin ja auch bald 80 Jahre«, sagte Richardt eines Tages. Leider war es nicht als Scherz gemeint.

Wie konnte ich allerdings Hilfsschwestern und Krankenschwestern kritisieren, wenn ich manchmal selbst in die gleiche Falle geriet? Ich hatte mich daran gewöhnt, Richardt bei den gleichen Dingen und Beschäftigungen zu sehen wie seine Mitpatienten. Meinte ich vielleicht deshalb, er würde sich nicht sehr von ihnen unterscheiden, als ich ihn eines Tages besuchte und in eine Beschäftigungsstunde hereinplatzte?

Vier Patienten, Richardt einer von ihnen, auf einem Sofa an der Wand. Ihnen gegenüber saß die Ergotherapeutin und warf ihnen einen Luftballon zu. Die Patienten saßen alle mit steifen, unbeweglichen Gesichtern und schoben den Luftballon zu ihr zurück, wenn er in ihrem Schoß landete. Eine fast 90-jährige Bewohnerin empfand es wahrscheinlich unter ihrer Würde, erhob sich wütend, zertrat den Luftballon und verschwand in ihrem Zimmer. Ich konnte sie verstehen.

Doch ich verstand mich selbst nicht mehr, als ich Richardt eines Tages überraschend außerhalb des Pflegeheimgeländes begegnete.

Es war ein schöner Herbsttag, einer dieser seltenen Tage, an denen die Sonne den Herbstfarben dieses gewisse Extra gibt, das den Wald feuerrot erscheinen lässt. Ein viel zu schöner Tag, um zu Hause zu sitzen. Ich nahm also unseren Hund und stellte mich auf einen längeren Fußmarsch ein. Nachdem ich ein wenig kreuz und quer gegangen war, genoss ich für einen Moment die Aussicht von einem Hügel und lauschte dem Gesang der Vögel, die nicht nach Süden gezogen waren. Nicht zuletzt spürte ich den Frieden und die Ruhe, die oft mit einem schönen Tag in der Natur einhergehen. Ich nahm Kurs auf eine Waldgaststätte und freute mich auf eine Tasse Kaffee und Waffeln.

Als ich dort auf dem Hof ankam, hielt ich inne. Vor dem Eingang parkte einer der grauweißen Kleinbusse, die ich nur zu gut kannte. Ich spürte, wie sich alles in mir anspannte, wie alles in mir dagegen protestierte, mit der Realität konfrontiert zu werden, die ich für einen Moment hatte verdrängen könne. Sollte ich einfach weitergehen? Den Kaffee vergessen und sofort nach Hause zurückkehren?

Nein, weder wollte noch konnte ich so denken. Außerdem war es nicht gesagt, dass ich sie kannte, und selbst wenn ich sie kannte, so war nicht sicher, dass Richardt unter ihnen war.

Er war es.

Selbstverständlich wusste ich, dass sie hin und wieder Ausflüge machten, wusste sogar, an welchen Tagen, hatte aber einfach vergessen, dass dieser Tag einer davon war. Ich wusste allerdings, dass Richardt selten mitkam. Umgeben von unbekannten Menschen war er in neuer Umgebung unruhig; das Pflegeheim konnte aber keine zusätzliche Schwester für die Ausflüge stellen, die sich dann besonders um Richardt kümmern würde. Wie mir das Personal sagte, wussten sie auch nicht, inwiefern ihm solche Fahrten überhaupt etwas brachten.

Doch heute war er mitgekommen. Es saß drinnen am langen

Tisch, mit genauso ernster und ausdrucksloser Miene, wie ich sie schon von ihm kannte, vor ihm eine unberührte Tasse Kaffee.

Plötzlich sah ich Richardt, sah ihn, wie ihn andere sahen, und bemerkte, dass er sich von all denen, die mit ihm am Tisch saßen, nicht unterschied. Jetzt war er einer von ihnen. In dieser Welt war er mehr zu Hause als in meiner.

Mein erster Gedanke war, kehrtzumachen und zu hoffen, dass mich niemand gesehen hatte. An einem so schönen Tag wollte ich nicht von der Realität eingeholt werden. Ich brauchte diese Zeit für mich. In dem Moment sah er auf, blickte mich an – und strahlte über das ganze Gesicht. Dabei versuchte er mit zitternder Hand zu erzählen, was er sah. Wen er sah.

Der Pflegeheimpatient war verschwunden, zurück blieben mein Liebster – und Schamgefühle.

Es gab auch Lichtblicke:

Dämmerstunde. Wir hatten die kleine Lampe auf dem Tisch eingeschaltet, spielten eine CD mit klassischer Musik und saßen im Zimmer mit unserer Tasse Kaffee. Eine jüngere Schwester, die Vertretung machte, steckte ihren Kopf zur Tür herein: »Störe ich?« Sie setzte sich und wir erzählten ein wenig. Dabei bemerkte ich, dass Richardt sie unverwandt ansah, sogar ein wenig lächelte. Es fiel ihr etwas schwer, doch nach einer Weile brachte sie heraus, was sie so gern sagen wollte.

Wie sich herausstellte, hatten die beiden einige Tage zuvor einen schönen Abend gehabt und gemeinsam getanzt. »Ich glaube, Sie müssen früher ein ziemlicher Tanzlöwe gewesen sein.« Dabei wandte sich die Schwester direkt an Richardt, der bei ihren Worten strahlte. Sie hatte Recht, er hatte früher sehr gern getanzt und liebte noch immer Musik und schmissige Rhythmen. Dann bekam ich auch die restliche Geschichte zu hören: Richardt war regelrecht aufgelebt, so hatte ihn die Schwester noch nie gesehen, war er doch sonst so ernst und reserviert oder vielleicht auch einfach ängstlich. An diesem Abend verhielt er sich allerdings ganz anders; die Schwester meinte, einen Teil von ihm wahrgenommen zu haben, den sie vorher noch nie gesehen hatte. Das Schönste allerdings war, als sie am nächsten Abend ihren Dienst antrat und Richardt ihr strahlend entgegenkam und deutlich zeigte, dass er gern mehr Kontakt haben wollte.

Letzteres sagte die Schwester mit leicht entschuldigender und vorsichtiger Stimme, doch sie war der Meinung, dass ich es wissen sollte.

Ich spürte Tränen in den Augen, als ich ihr dafür dankte, dass sie es mir erzählt und Richardt diese Freude bereitet hatte. Zum ersten Mal erlebte ich, dass mir jemand von sich aus etwas aus Richardts Leben berichtete. Er wurde also doch von einigen beachtet.

Zehn Monate war er nun schon im Pflegeheim.

Ich lernte, die kleinen Dinge zu schätzen, unbedeutende Dinge – sowohl positive als auch negative, die riesengroß wurden. Doch wenn es darum ging, dem Menschen Respekt zu zollen, der er einst war und noch immer war, ging es nicht einfach um die kleinen Dinge. Ebenso wenig, wenn man den Menschen sehen sollte, der er einst war, und nicht nur den Patienten, der er geworden war.

Ich saß auf dem Flur, während Richardt in seinem Zimmer für die Nacht fertig gemacht wurde. Er war eine Weile sehr unruhig gewesen, sowohl verbal als auch körperlich. Es war sicherlich nicht einfach, ihn bei seinem Gemütszustand umzuziehen und ins Bett zu bringen. Durch die Tür hörte ich seine gereizten Rufe und eine Wortwahl, die zu dem Mann, dessen Freundin und Lebensgefährtin ich war, gar nicht passten. Ich schloss die Augen, versuchte auch, nichts zu hören und mir in Gedanken den Mann vorzustellen, der er einst war. Doch gerade jetzt war dies nicht einfach. Plötzlich merkte ich, dass sich jemand neben mich setzte.

Sie war Schwesternschülerin und arbeitete nebenbei während der Ausbildung. Sie war nett und freundlich und hatte immer ein wenig Zeit übrig. Ich hatte einige von ihnen in der Abteilung getroffen und fast ausnahmslos einen positiven Eindruck von ihnen gewonnen. Lag es am Stress, am Ärger und am Einfluss des Systems, dass vielen nach einiger Zeit in ihrem Beruf die Menschlichkeit genommen wurde? Oder traten Abwehrmechanismen in Kraft, die sie »schützen« sollten, sich nicht zu sehr damit zu belasten?

Nun setzte sich die Schwesternschülerin neben mich, legte ihre Hand auf meinen Arm und fragte, ob es für mich schwierig sei. Sie fragte *mich*, ob es schwierig sei! Ganz von sich aus. Sie erwartete keine Antwort, sah sicherlich die Tränen in meinen Augen, denn im gleichen Atemzug sagte sie: »Ich kann sehen, dass er ein toller Mann gewesen sein muss; kein Wunder, dass Sie ihn mochten. Übrigens ist er es noch immer.«

Sie hatte ihn wahrgenommen! Sie hatte meinen Liebsten gesehen hinter dem Menschen, der dort drinnen in seinem Bett lag, dünn und abgemagert, der wie ein Baby gewaschen wurde, und diejenigen beschimpfte, die diese wenig attraktive Arbeit verrichteten. Als mir Tränen herunterliefen, drückte sie leicht meinen Arm, gab mir ein Taschentuch, lächelte mich an und ließ mich allein.

Damals erinnerte ich mich immer öfter an die Worte bei Richardts Einweisung, es solle bei seiner Betreuung nicht auf das Geld ankommen. Zu Beginn war ich beeindruckt gewesen; sie hielten, was sie versprochen hatten. Ich hatte natürlich Verständnis dafür, dass sie Richardt keine Spezialbehandlung bieten konnten. Schließlich hätte dies bedeutende Konsequenzen für das Budget und somit für die anderen Bewohner gehabt. Doch mittlerweile empfand ich nicht mehr, dass Richardt betreut wurde, jetzt wurde er aufbewahrt.

Während der Monate, die er – wir – hier gelebt hatten, hatte sich etwas geändert. Für einiges kannte ich die Ursache. Ich hatte einer der Schwestern, einer Vertretung auf der Abteilung, die Richardt sehr schätzte, gesagt, dass ich mich freue, sie nach langer Zeit endlich einmal wiederzusehen. Daraufhin erzählte sie mir, dass die Dienstabläufe geändert worden seien. Ihre festen Dienste waren nachts gewesen, zusätzlich hatte sie aber auch einige Frühdienste übernommen. Jetzt war damit Schluss; die Nachtdienste waren härter geworden, sodass sie nur noch Frühschichten in der Abteilung machte, wenn es absolut notwendig war. Dann erzählte sie ein wenig von den Dienstabläufen.

Meine Beobachtungen stimmten also; es waren mehr Schwestern, mit denen man zu tun hatte, als zuvor. Mehr Gelegenheitskräfte, weniger Festangestellte. Ich hatte mehrmals versucht zu zählen, mit wie vielen von ihnen ich in Kontakt gewesen war, wie viele ich innerhalb einer Woche gesehen hatte. Irgendwann gab ich es auf. Wie ging es wohl erst den Bewohnern, wenn es für mich schon verwirrend war? War dies ein Teil der Erklärung dafür, dass ich Richardt immer öfter mit einem unendlich leeren Gesichtsausdruck in seinem Zimmer sitzen sah? Dass er, wenn ich kam, einige Male erst etwas Zeit brauchte, ehe er sein wiedererkennendes Lächeln zeigte? Ich hatte geglaubt, dies sei ein Teil seines Krankheitsbildes. Jetzt war ich mir nicht mehr so sicher.

Vielleicht ging für die Abteilung das Ganze so einfacher – und billiger – auf. Vielleicht sparten sie dadurch etwas Geld …

Doch für die Bewohner? Dies war eine Spezialabteilung für Demenzkranke. Wusste niemand, dass Kontinuität für diese Bewohner eine wichtige Voraussetzung war?

»Nein!« Richardt war recht entschlossen, kniff den Mund zusammen und wollte das Eis nicht haben, das ich ihm gab.

»Möchtest du nicht? Warum nicht?« Ich dachte, er würde sich freuen; Eis war mit das Schönste für ihn. Auf unserem Spaziergang hatten wir darüber gesprochen, dass wir gemütlich ein Eis essen wollten, wenn wir wieder zurück waren.

Doch nach dem ersten Löffel sagte er Halt und verzog gleichzeitig sein Gesicht. »Tut dir etwas weh? Hast du beim Essen Schmerzen?« Ich bekam keine Antwort von ihm, aber er nahm den Finger in den Mund und tastete offenbar nach etwas in seinem Mund.

»Kann ich mal sehen? Kannst du mir zeigen, wo es dir weh tut?« Er konnte mit dem Finger wirklich einen Zahn ausmachen – und ein Loch, das selbst für mich zu erkennen war. Richardt hatte eine Plombe verloren, der halbe Zahn war verschwunden. Kein Wunder, dass er beim Eisessen Schmerzen hatte.

An dieses Problem hatte ich nicht gedacht. Früher hatte Richardt seinen eigenen Zahnarzt gehabt. Ein Mann, der sich mit der Alzheimer-Krankheit auskannte und sich auf dem Gebiet engagierte. Einer der vielen Zufälle im Leben wollte es so, dass meine Tochter schon seit einigen Jahren für ihn arbeitete. Richardt ließ sich immer von ihm behandeln; er fühlte sich dort sicher und in guten Händen.

Und nun? Ich konnte Richardt nicht ins Stadtzentrum zur Praxis bringen, er war viel zu ängstlich in fremder Umgebung. Selbst die Fahrt in die Stadt wäre für ihn schwierig gewesen.

Die Lösung ergab sich, als ich es mit der Spätdienstschwester besprach. »Kein Problem«, sagte sie. »Wir haben eine komplett eingerichtete Praxis hier im Haus, der Zahnarzt kommt zweimal in der Woche zu uns. Wir werden dort einen Termin für ihn vereinbaren; ich gebe dem Frühdienst Bescheid.«

Als ich in der darauf folgenden Woche nach dem Termin fragte, war auf Richardts Namen kein Termin bestellt worden. Es hatte nicht einmal irgendjemand gehört, dass er Probleme mit den Zähnen hatte. Als ich nach der Schwester fragte, die mir versprochen hatte, die Angelegenheit zu regeln, erfuhr ich, dass sie eine Aushilfe sei und seither keine Dienste mehr gehabt habe.

Aber hatte Richardt denn nicht Schmerzen, wenn sie ihm Essen gaben?

Bemerkten sie es nicht?

Gaben sie ihm kein Essen?

Natürlich bekam er sein Essen, doch wurde ihm beim Essen geholfen? Sah jemand, dass er aß? Wenn ich zu den Mahlzeiten kam, bemerkte ich häufig, dass Richardts Teller fast nicht angerührt war. Fütterte ich ihn, aß er gut. Ich wagte nicht, den Gedanken zu Ende zu denken.

Nach dreimaligem Mahnen – und vielen Schmerzen – wurde der Zahn gezogen.

»Er ist ein ungewöhnlicher Patient«, sagte die Psychologin, mit der ich weiterhin in gutem Kontakt stand. »Das war er schon, als ich ihn das erste Mal traf.« Nach wie vor kam sie zu Besuch und interessierte sich für Richardt als Menschen und Patienten. Mit der Zeit wurde sie sogar eine Freundin.

Weshalb interessierte sich niemand von denjenigen, die täglich mit Richardt zu tun hatten, für ihn als Patienten? Weshalb nutzten sie nicht die Gelegenheit, mehr über die Krankheit zu lernen? *So* ungewöhnlich war er nun auch wieder nicht, als dass man nicht mit den gleichen Reaktionen, den gleichen Problemstellungen hätte rechnen können wie bei anderen alzheimerkranken Patienten auch.

Statt eine einmalige Chance zu nutzen und mehr zu lernen, wurde Richardt in die Schublade 90-Jähriger gesteckt. Sie sahen nur die Probleme, die er bereitete – in einer Spezialabteilung für Demenzkranke. Ein Mann im Alter von 54 Jahren.

Ich hatte geglaubt, dass ich mich daran gewöhnen würde, dass Richardt in einer Institution lebte, und es mit der Zeit für mich so einfacher würde. Stattdessen kam es genau anders. Nach einem Jahr fühlte ich mich dafür verantwortlich, dass er Anregung bekam, Bewegung hatte, an die frische Luft kam – dass er zu essen bekam. Noch immer fühlte ich mich für Richardts Leben verantwortlich.

Aber Richardt konnte froh sein, jemanden zu haben. Wie stand es um diejenigen, die niemanden hatten?

Das Sprichwort »Eine Mutter kann zehn Kinder ernähren, aber zehn Kinder nicht eine Mutter« ist scheinbar nicht ganz unbegründet. In der Abteilung traf ich immer die gleichen »Kinder«, andere kamen selten oder nie. Einige von ihnen lernte ich näher kennen, auf einer Abteilung für Demenzkranke war das nicht zu umgehen. Oftmals freuten sich die anderen Bewohner mehr über den Besuch als derjenige, der besucht wurde.

»Es war für mich entsetzlich schwer, als Mutter mit Mitte 70 sehr vergesslich wurde und mir bewusst wurde, dass es sich hierbei um eine Krankheit handelte«, erzählte mir die Tochter einer Mitbewohnerin. Sie war in meinem Alter, und wir hatten einige Male gemeinsam Kaffee getrunken. »Für Sie muss es noch viel entsetzlicher sein«, fuhr die Frau fort. »Mutter hat ihr Leben gehabt und verliert nun allerdings einen Großteil ihres Lebens im Alter. Sie beide verlieren viel, viel mehr – sowohl die Gegenwart als auch die Zukunft und das Leben im Alter. Ich habe zum Glück mein eigenes Leben und meine eigene Familie. Obwohl es für Mutter und für mich schwierig war, als Vater starb, bin ich froh, dass es ihn nicht mehr gibt. Er hätte noch mehr verloren als ich.«

Sie erzählte, dass das Schlimmste nicht gewesen sei, ihre Mutter verloren zu haben. Die Krankheit war recht spät im Leben aufgetreten, als sie bereits Mutter ihrer Mutter geworden war, wie sie es ausdrückte. Nein, abgesehen davon, dass ihr die geistig verwirrte Mutter sehr Leid tat, war es am schlimmsten, dass ihr weder die Familie noch das Gesundheitswesen Glauben schenkte. Eine Zeit lang misstraute man ihr, arbeitete gegen sie, als sie erklärte, ihre Mutter würde an einer Krankheit leiden, während die restliche Familie – und die Mutter selbst – an ihrer Meinung festhielten, dass Vergesslichkeit im fortschreitenden Alter normal sei. Niemand wollte hören, dass dies sehr ernst zu nehmen sei, dass eventuell Medikamente verabreicht werden sollten, die ihrer Meinung nach den Krankheitsverlauf verzögern könnten. Sie hatte ihre Mutter einem Spezialisten vorgestellt, der die Diagnose Alzheimer-Krankheit gestellt hatte, doch trotz allem bekam sie vom Gesundheitswesen keine Unterstützung. »Mein Antrag auf betreutes Wohnen wurde von der Gemeinde abgelehnt, weil der Sachbearbeiter behauptete, meine Mutter käme in ihrer Wohnung sehr gut zurecht«, so die Frau. »Ohne dass jemand sie öfter als zwei Stunden alle vierzehn Tage gesehen hätte. Mündlich bekam ich zu hören, dass es die Aufgabe der Gemeinde sei, Demenzkranke gegen Bevormundung zu schützen. Als ob ich meine Mutter bevormunden wollte …«

Von so etwas war ich zumindest verschont geblieben. Niemand hatte Richardts Krankheit in Frage gestellt. Eher war ich diejenige, die sich sträubte, wenn es darum ging, die Krankheit anzuerkennen. Für mich war schlimmer, dass für Richardt nicht genug getan wurde. Dass sie es nicht schafften, seinem Leben einen Sinn zu geben, und dass er noch mehr an Würde verlor, als notwendig gewesen wäre – weil er nicht mehr als Mensch, sondern nur noch als Patient mit geringem Status betrachtet wurde.

In einem Punkt waren wir, die Tochter der Mitbewohnerin und ich, uns einig: Jeder hat Anspruch auf ein würdiges Lebensende unabhängig davon, wann dieses eintritt oder wie lange es sich hinzieht.

Vielleicht war ich ungerecht. Natürlich war ich ungerecht. Wie ich zuvor bereits gegenüber dem Hilfesystem ungerecht gewesen war – und gegenüber Freunden, weil ich sie alle pauschal verurteilte.

Ich hatte das Gefühl, als würde ich mein Leben mit Richardt teilen, als wäre ich sozusagen zu ihm ins Pflegeheim gezogen, obwohl ich ihn tatsächlich im Schnitt nur zwei Stunden am Tag sah. Und ein Tag bestand immerhin aus 24 Stunden. Es war offensichtlich, dass ich nicht über alles, was sich ereignete, Bescheid wissen konnte. Ebenso wenig konnte ich alle Probleme erkennen, konnte auch nicht verfolgen, wie die Abteilung ihre kleine Miniaturgesellschaft in Gang hielt.

Gleichzeitig sah ich aber auch, dass es Richardt nicht gut ging. Ich sah, dass sich seine Lebensqualität verschlechterte, obgleich er jetzt von Menschen umgeben war, die sehr viel mehr hätten wissen müssen als ich. Schließlich war es ihr Beruf.

Wieder einmal ging ich weinend nach Hause, es wurden viele Tränen. Wie konnte ich überhaupt noch Tränen haben? Ich weinte, weil Richardt seine Individualität und Integrität verlor, weil sich niemand mehr um seine Persönlichkeit kümmerte und sie achtete. Sein gesamtes Leben bestand nur noch aus Füttern und Windeln. Doch es gab noch sehr viel mehr in ihm, wenn sich nur jemand die Mühe gemacht hätte, es aufzuspüren.

Ich selbst konnte nicht mehr tun. Ich war nicht zu mehr in der Lage, als ihm eine kleine Freude zu machen, damit die Tage für ihn etwas inhaltsreicher wurden – wie ein Eis an einem warmen Sommertag oder eine halbe Stunde draußen auf einer Bank in der Sonne.

Plötzliches Aufflackern von einst Gewesenem, das im nächsten Augenblick schon wieder erlosch, zehrte an meinen Nerven. Es bereicherte mich, kostete aber zugleich viel Kraft.

»Ich liebe dich«, sagte Richardt plötzlich, und ich freute mich sehr. Bis ich sein Gesicht sah und darin die Leere bemerkte.

»Sagst du das zu jeder Frau, Liebster?«

»Ja«, erwiderte er.

War um seinen Mund ein kleines verschmitztes Lächeln? Ich hätte es am liebsten so wahrhaben mögen, musste aber einsehen, dass ich mich genauso getäuscht haben konnte.

»Ach, nun jammere ich Ihnen schon wieder die Ohren voll«, sagte ich entschuldigend in der Praxis der Psychologin, zu der ich nun regelmäßig alle vierzehn Tage ging. Ich hatte ihr von einem Erlebnis berichtet, das eigentlich ganz unbedeutend war, aber in unserer kleinen Welt sehr bedeutsam wurde. »Ich sollte mich nicht selbst bemitleiden.«

Daraufhin sah sie mich eine Weile an und sagte: »Sie können sich sehr wohl bemitleiden.«

Und plötzlich begriff ich, dass sie Recht hatte; ich konnte auch mir selbst Leid tun. Es ging nicht nur um leise klagendes Selbstmitleid. Nicht nur mein Liebster verlor alles, ich tat es ebenso. Zudem wurde ich Zeugin seines Leidens und musste mir meine eigene Hilflosigkeit eingestehen.

Ich hatte sogar ein Recht darauf, mitfühlend mit mir selbst zu sein. Es war eine große Erleichterung, dies tun zu dürfen; ich musste mich nur davor in Acht nehmen, nicht in Selbstmitleid zu verfallen.

Als ich einige Tage später in der Cafeteria des Pflegeheims saß, hatte ich die Worte der Psychologin noch sehr gut im Ohr.

Während Richardt und ich dort bei Kaffee und Kuchen saßen, kamen wir ins Gespräch mit einem Ehepaar am Nachbartisch, beide etwas älter als wir. Er saß im Rollstuhl, hatte, wie ich erfuhr, einen Schlaganfall gehabt. Da ihnen zu Hause die Räumlichkeiten für Rollstuhlfahrer fehlten und da sie außerdem nicht in der Lage war, ihren Mann allein zu versorgen, war er hierher gekommen.

Vor acht Monaten war er erkrankt, seit drei Monaten war er Bewohner des Pflegeheims, ohne dass er sich bisher wohl gefühlt hatte. Seine Frau besuchte ihn jeden Tag – und saß immer in Hut und Mantel in der Cafeteria …

»Und Sie«, fragte ich sie, »wie geht es Ihnen?«

Womit ich ein Tor geöffnet hatte, ein Tor für ihre Tränen. Sie schluchzte und weinte und entschuldigte sich zwischendurch. Es war das erste Mal seit der Erkrankung ihres Mannes, dass sich jemand nach ihr erkundigt hatte.

Nachdem sie sich allmählich beruhigt hatte und wir wieder ins Gespräch kamen, erzählte sie mir, dass es für sie am schlimmsten sei, dass ihr Mann nicht nach Hause zu Besuch kommen könne. Es war ihnen zwar so gesagt worden, doch da sie in der dritten Etage ohne Fahrstuhl wohnten, war sie nicht in der Lage, ihn die Treppen hinaufzubringen.

Niemand hatte ihnen bisher gesagt, dass sie nach einem Spezialtransport hätten fragen können.

☆

Die Besuche zu Hause. Sie waren für uns beide wie eine Oase. Als Richardt mitten auf dem Gartenweg innehielt und rief: »Unser Haus!«, wusste er ganz genau, wo er war und welche Rolle sein Zuhause in seinem Leben gespielt hatte. Ich hatte nicht geglaubt, dass er sich an diesen Lebensabschnitt erinnern würde. Er war schon so sehr von seiner Krankheit gezeichnet, und außerdem war es schwierig, sich mit ihm zu unterhalten, sodass ich von vornherein annahm, für ihn würde ein Großteil unserer gemeinsamen Zeit nicht mehr existieren. Und dann – inmitten eines einfachen, belanglosen Gesprächs – fragte er nach der Tochter, die vor seiner Einweisung ins Pflegeheim noch zu Hause gewohnt hatte: »Ist sie nicht zu Hause?«

Sie war erst nach Richardt ausgezogen. Es war also nicht verwunderlich, dass er sich *daran* nicht erinnern konnte.

Nach einer Weile erhob sich Richardt aus eigener Kraft von

seinem Stuhl, was schon lange nicht mehr der Fall gewesen war. Er ging langsam durchs Wohnzimmer und entdeckte an der Wand ein großes Bild, auf dem er selbst zu sehen war: »Nanu, das bin ja ich!«

In seinem Zimmer im Pflegeheim hatten wir den Spiegel entfernen müssen, weil Richardt seinen Anblick nicht mochte und davor Angst hatte.

Dann ging er in Richtung Treppe zur oberen Etage.

»Was hast du vor, wohin willst du?« Ich hatte Angst, Richardt würde die Treppen nicht hinaufkommen, er konnte schlecht gehen und war wackelig auf den Beinen.

»Na, ich dachte nur … aber ich brauche ja auch nicht.«

Selbstverständlich konnte er in die obere Etage gehen, wenn er es gern wollte. Dort oben waren all die anderen Zimmer. Ich ging hinter ihm die Treppe hinauf, hätte ihn aber wohl kaum auffangen können, wenn er gefallen wäre. Doch wenn er gern nach oben wollte, sollte er auch nach oben gehen.

»Dort sind nur die anderen Zimmer, weißt du noch? Keine großen Veränderungen, nur die Matratze von deinem Bett liegt jetzt im kleinen Zimmer auf dem Fußboden. Unser Jüngster hatte Übernachtungsbesuch gehabt.«

Oben auf der Treppe drehte sich Richardt plötzlich zu mir um: »Dies ist wohl das letzte Mal?«

Was meinte er? Ich war zu feige, der Frage nachzugehen, und werde es nie erfahren.

Der Besuch war eine kurze Erholung für mich, obwohl der Abschied schmerzte.

Auf dem Rückweg im Auto sagte Richardt kein Wort; wusste er, was ihm bevorstand? Als wir vor dem Eingang des Pflegeheims anhielten, war sein Körper steif geworden. Es war nicht möglich, ihn aus dem Auto zu bekommen. Ich fand niemanden, der mir helfen konnte, musste es also allein schaffen. Ich zog ihn aus dem Auto, und er kam zu Fall, so wie er gesessen hatte – auf dem Rücken mit angewinkelten Beinen. Die ganze Zeit ohne Proteste und mit ausdrucksloser Miene. Mit viel Mühe konnte ich ihn aufrichten und hängte ihn förmlich über die Autotür. Von dort aus war es einfacher, seine Beine in Bewegung zu setzen.

Am nächsten Tag hatte ich so starke Rückenschmerzen, dass ich mich kaum noch bewegen konnte.

Dies war der letzte Besuch bei uns zu Hause.

KAPITEL 7

Sie hatten sich entschieden, als unverheiratetes Paar zusammenzuleben. Wie sich herausstellte, war dies die falsche Entscheidung gewesen …

Die Angehörigenkommission. Eine Kommission, bestehend aus Angehörigen jeder Abteilung, in der gemeinsam mit Vertretern der Pflegeheimleitung Probleme oder andere Anliegen besprochen wurden. Mit anderen Worten: ein Personalrat, in dem unter anderem auch ich saß. Alle anderen Vertreter in meinem Alter waren die »Kinder« der Patienten.

»Ich will zum Elternabend«, sagte ich etwas spaßig. Aber eigentlich war es eine gute Sache, auch wenn es schwierig war, etwas Konstruktives zu erreichen. Starb ein Bewohner, übernahm ein anderer Angehörigenvertreter die Stelle seines Vorgängers. Mit anderen Worten: es war ein regelmäßiges Kommen und Gehen.

Auf einer Versammlung legte eine Angehörige, deren Mutter schon viele Jahre im Pflegeheim war, eine Akte auf den Tisch mit den Worten: »Jetzt sitze ich schon acht Jahre in dieser Kommission, und in diesen acht Jahren haben wir sechs Mal das gleiche Thema erfolglos diskutiert.«

Positiv war, dass man mit der Leitung auf eine andere Art und Weise in Kontakt kam. Als mich der Kommissionsvertreter, der die Finanzabteilung des Pflegeheims leitete, fragte, wie es mir gehe, dachte ich eigentlich, dass er mich kennen würde und wüsste, dass ich engste Angehörige sei und welche Rolle ich spielte – sowohl für das Pflegeheim als auch für meinen Liebsten. Doch ich hatte mich geirrt.

Einige Tage nachdem Richardt ins Pflegeheim gekommen war, hatte ich die kommunale Krankenkasse angerufen, um mehr über unsere finanzielle Situation zu erfahren, unter anderem darüber, welche Rechte und Pflichten ich hatte. Rechte hatte ich keine, wie ich erfuhr, doch dafür war Richardt dazu verpflichtet, seinen Eigenanteil auf der Grundlage seiner staatlichen und privaten Invalidenrente zu zahlen.

Zusätzlich zu den direkten Abzügen von seiner staatlichen Rente hatte mir das Pflegeheim eine finanzielle Forderung gestellt, und mit dieser Forderung konnten wir leben. Die private Rente reichte trotz allem noch aus, um Richardts Schuldenanteil an dem Haus zu decken, das wir gekauft hatten, an unserem Zuhause. Wir hatten gemeinsame Finanzen und gemeinsames Verfügungsrecht über unser beider Konten. Mit anderen Worten: Alles, was meins ist, ist auch deins.

»Wie geht es Ihnen?«, fragte der Leiter der Finanzabteilung, als wir uns nach der Versammlung kurz unterhielten und verschiedene Themen ansprachen, unter anderem auch das Thema Finanzen. Ich gab ihm eine ehrliche Antwort und sagte, dass mir finanzielle Probleme glücklicherweise erspart geblieben seien. Auf diesem Gebiet hätten wir jedenfalls keine Sorgen.

Und ich dankte ihm, dass wir so gut behandelt wurden. Dankte vermutlich auch für das Verständnis, das sie uns entgegenbrachten.

Wie einfältig kann man eigentlich sein?

Wie sich herausstellte, hatte die Buchhaltung nicht die erforderliche Berechnungsgrundlage gehabt. War er direkt von mir zum Büro gegangen, um zu überprüfen, was in aller Welt ich gemeint hatte?

Und die finanzielle Forderung wurde erhöht. Auf eine Summe, die ausgereicht hätte, um zu Hause eine Hilfe zu beschäftigen. Mit Steuerfreibetrag. Hätte ich es doch bloß gewusst …

Es war zu spät, Richardt wieder nach Hause zu nehmen. Dazu war er zu krank geworden, und finanzielle Mittel für eine Rundumbetreuung hatten wir nicht.

Meine Bitterkeit tobte heftig in mir, kam erst zur Ruhe, wenn ich stark genug dagegen ankämpfte. Jetzt war jeder Kampf zwecklos; ich konnte nachts stundenlang nicht schlafen.

Man hätte Richardt mehr Zeit geben können. Er hätte noch etwas länger ein lebenswerteres Leben haben können. Bitterkeit und ein schlechtes Gewissen wollten beide die Oberhand gewinnen. Warum hatte ich dies nicht vorab bedacht?

Warum hatte mir niemand erzählt, welche Konsequenzen dies für uns hatte? Was es kosten würde, wenn Richardt in einer solchen Institution lebte? Zwar war 24 Stunden am Tag jemand bei ihm, er bekam zu essen, wurde betreut, gewindelt, bekam seine Medikamente und hatte sein eigenes Zimmer. Doch für den Großteil der Anregung und die extra Zuwendung, die ihm noch immer Freude bereitete, mussten wir selbst sorgen. Genauso wie für die notwendige Beaufsichtigung, die nicht unter die üblichen Routinen fiel. Wir mussten dafür sorgen, dass er nicht vergessen wurde.

Richardts Wäsche wusch ich selbst, weil sie durch die sorglose Pflege ansonsten zu schnell verschlissen wäre. Sofern sie nicht verschwand …

Frische Luft. Ich hatte geglaubt, dass die Heimbewohner ein Recht darauf hatten, die frische Luft zu bekommen, die sie wünschten. Jetzt musste ich feststellen, dass wir auch dafür zu sorgen hatten.

Essen. Natürlich wurde es serviert. Richardt bekam einen Teller mit höherem Rand, einen Löffel und einen Schieber, ohne jedoch zu wissen, wie man beides zu handhaben hätte. Das führte dazu, dass er ein Stück Kartoffel aß – und vielleicht noch ein Stückchen. Und ein Stück Fleisch, sofern er es schaffte, überhaupt etwas auf seinen Löffel zu bekommen. War die Mahlzeit beendet und bemerkten die Schwestern, dass er nichts gegessen hatte, bekam er Hilfe. Bei seinem kalten Essen. Und ab da immer bei kaltem Mittagessen. Ich achtete also darauf, dass ich, sofern möglich, zur Mittagszeit bei Richardt war.

Anregung. Warum hatten sie Angst, ihm Beruhigungsmittel zu geben, die zu Teilnahmslosigkeit führten, wenn fehlende Anregung viel eher die Ursache dafür war? Hierfür sorgten wir also auch. Und mussten dafür bezahlen. Viel.

Richardt hatte ein gutes Gehalt bekommen und verfügte dadurch über eine gute Rente. Die Gemeinde konnte eine gewisse Summe eintreiben, und mit dem Gesetz auf ihrer Seite geschah dies auch. Ich wurde nicht mitgerechnet. Als unverheiratete Lebenspartnerin usw.

Wie stand es um die Verträge, die wir aufgesetzt hatten? Den Vertrag über nichteheliche Lebensgemeinschaft? Die Verteilung unserer Schulden, unseres Vermögens und unserer Verbindlichkeiten? Alles niedergeschrieben mit Hilfe eines Anwalts – und alles durch einen Federstrich öffentlicher Behörden für null und nichtig erklärt. Was auf dem Papier stand, war sein Papier nicht wert. Hier galten öffentliche Regeln.

Mit diesen Forderungen hätte ich unser Haus nicht behalten können. Schulden und Verbindlichkeiten basierten hauptsächlich auf Richardts Einkommen, unserem gemeinschaftlichen Vermögen.

»Das ist doch aber auch sein Zuhause«, protestierte ich. »Niemand hat das Recht, es ihm zu nehmen. Vergessen Sie mich, aber was ist mit seinem Recht?« Zur Antwort bekam ich, dass Richardt »auf Beschluss eingewiesen« worden sei. Was bedeutete das? Dass ihm die Freude untersagt bleiben sollte, hin und wieder nach Hause zu kommen? Weil er eine Krankheit ohne Hoffnung hatte? Oder weil die meisten Menschen mit seiner Diagnose ältere und oftmals allein stehende Menschen waren? War dies die Ursache dafür, keine Mitmenschlichkeit mehr zu zeigen?

Die Nächte wurden lang – und schmerzvoll. Bitterkeit und Selbstmitleid wollten beide die Oberhand gewinnen. Ich ertrug den Gedanken nicht, unser Zuhause aufzugeben, das wir uns selbst aufgebaut hatten. Nicht jetzt. Meine letzte Verteidigungsstätte gegen ein Leben, das immer mehr einem Albtraum ähnelte. Die letzte greifbare Erinnerung an Richardt, die mir geblieben war. Es konnte doch nicht sein, dass diese enorme Bürokratie, die von vielen Menschen verursacht wurde und sich wie eine gewaltige Flutwelle über mich ergoss, mich nicht verstehen wollte.

So war es aber. Sie hielten an ihrer Meinung fest – und ich an meiner. Ich hatte keine Wahl.

Die Papiermenge nahm zu. Briefe über Briefe, ganze Berge von Briefen sogar. An das Pflegeheim. An die Stadtteilverwaltung. An den Verwaltungsbezirk. An die Bürgervertretung.

Mitfühlende Antworten – und Ablehnungen.

Arrogante Antworten – und Ablehnungen.

Verletzende Antworten – und Ablehnungen.

Auf meine Frage, mit welchem Recht sie verlangten, dass ich meinen rechtmäßigen Anteil am Haus verkaufen solle, bekam ich keine Antwort. Ebenso wenig auf meine Frage, wie ich Richardts Anteil verkaufen solle, wenn ich darin wohnte.

»Sie hatten sich entschieden, als unverheiratetes Paar zusammenzuleben. Wie sich herausstellte, war dies die falsche Entscheidung gewesen«, hieß es in einem Schreiben einer öffentlichen Behörde.

Was wussten sie über uns? Über unsere Liebe, über unsere Beziehung? Wie konnten sie sich erlauben, so etwas zu schreiben?

Ich ging ins Bett – und blieb dort zwei Tage. Ich weinte und schrie, schluchzte und verfluchte abwechselnd die Leute im öffentlichen Dienst und das Gesundheitswesen, während mir eine verängstigte und besorgte Tochter über das Haar strich: »Ach, Mama, sie kennen euch nicht, versteh doch, das ist nur Amtssprache.«

Mit viel Unterstützung kam ich wieder auf die Beine. Erneut. Ich wurde woanders gebraucht.

Richardt rettete unser Haus durch seinen Tod. Dadurch traten die Restschuldversicherung und andere Versicherungen in Kraft, sodass ich die finanziellen Mittel hatte, um die mir gestellten Forderungen zu decken – kurz bevor es zur Zwangsvollstreckung kam. Hätten sie es getan? Mich unter Zwang hinausgeworfen? In einer so schmerzvollen Zeit, wie man sie sich überhaupt nicht vorstellen konnte?

Ich weiß es nicht und werde es auch niemals erfahren.

KAPITEL 8

Das Gespenst der Verlegung, das über uns hing,
wurde wahr. Morgen soll Richardt verlegt werden …

Was war es diesmal?

Ich merkte, dass mein Herz stehen blieb, als ich beim Betreten des Flurs sofort abgefangen wurde. Sie hatten offensichtlich auf mich gewartet. Eine der Schwestern, eine Vertretung, kam auf mich zu. »Könnte ich Sie kurz sprechen?«

»Jetzt? Sofort?« Sie nickte, wechselte einen Blick mit derjenigen, von der sie über mein Kommen verständigt worden war, und führte mich an Richardts Tür vorbei in das Büro.

Angriff ist die beste Verteidigung, damit waren wir erzogen worden. Doch mit Kanonen muss man nicht auf Spatzen schießen. Ich sah, dass sie unsicher war und die Aufgabe, die ihr auferlegt worden war, als schwierig empfand. Oder hatte sie sich vielleicht freiwillig gemeldet, weil sie eine von den »Barschen« war, aber so barsch nun auch wiederum nicht – oder weil wir beide nachts einige Stunden durchwacht hatten?

Richardt sollte verlegt werden.

Ein Strom von Worten. Ich wurde mit einem Strom von genau durchdachten Erklärungen und Entschuldigungen überhäuft:

Ich würde mich doch sicherlich daran erinnern, dass ich unterschrieben hätte, dass Richardt nicht mehr auf dieser Abteilung bleiben könnte, wenn er deren Angebote nicht mehr nutzen kann. Sie hatten nicht genug Personal, das sich um ihn kümmern konnte, wenn er selbst nicht mehr in der Lage war, sich zu waschen und anzukleiden. Sie hatten einen Großteil der Zuschüsse für die Bezahlung einer Aushilfe für ihn genutzt, jetzt sagte die Pflegeheimleitung Stopp.

Und dann folgte das alles Entscheidende, das schlagende Argument, von dem sie wussten, dass es mich am meisten treffen würde: All dies ging auf Kosten von Richardts Mitpatienten.

So genau hatten sie mich immerhin kennen gelernt. Sie kannten meine Fürsorglichkeit und mein Mitgefühl mit all denjenigen, mit denen ich in den knapp zwei Jahren, in denen Richardt dort gewohnt hatte, in Berührung gekommen war. Mit diesem Argument hatten sie Glück.

Der Strom von Worten brach nicht ab: Über andere Angehörige, die sich beschwert hatten, die nicht verstanden, weshalb Richardt als bettlägeriger Patient nach wie vor sein eigenes Zimmer haben durfte, während deren Mutter oder Vater aus dem gleichen Grund verlegt worden war. Darüber, dass sich der zuständige Arzt nicht mehr erlauben konnte, Anträge von anderen Abteilungsleitern, anderen zuständigen Ärzten abzulehnen, in denen es um Patienten ging, die von einer Einweisung auf eine solche Spezialabteilung einen größeren Nutzen hätten. Über die Ziele der Abteilung. Über kommunale Richtlinien zum Arbeitsablauf und öffentliche Mittel.

Doch ich hörte nur immer wieder die gleichen Worte: Richardt muss verlegt werden. *Wir* müssen verlegt werden. Wir sollen verlegt werden.

Warum schaffte ich es nicht, ihnen zu widersprechen? Warum stand ich nicht auf und kämpfte? Warum schlug ich nicht mit der Faust auf den Tisch und sagte, dass die meisten ihrer Argumente Unsinn waren? Natürlich konnte ich mich daran erinnern, was ich unterschrieben hatte, aber damals war alles so unwirklich gewesen, alle Veränderungen so weit entfernt. Tief in mir glaubte ich wohl – vollkommen naiv –, dass Richardt unter die meisten Regeln nicht fallen würde. Er passte ja auch als Patient nicht hinein. Nie hatte er die Kriterien erfüllt, die erforderlich waren, um Patient auf der Abteilung zu sein. Er war dort untergebracht worden, »weil es das beste Angebot war, das sie für ihn hätten«, wie es einst hieß. Und jetzt war es das nicht mehr?

War erreicht, was man bei ihm erreichen konnte?

Welche Maßnahmen waren in die Wege geleitet worden, um für

geistige Anregung für einen Mann in Richardts Alter zu sorgen? Hatte ihn jemand gefragt, ob er gerne die Fernsehsendung *Da Capo* oder die Radiosendung *Middagsstunden* sehen oder hören wollte? Wie oft hatten sie im Aufenthaltsraum die Kassette mit dem Schlagerduo Gerd und Otto eingelegt, wie oft Roy Orbison?

Wenn er sich nicht an Maßnahmen erfreuen konnte, die auf eine ganz andere Altersgruppe abgestimmt waren als die seine, war es sein Problem – oder genauer gesagt, unser Problem. Ich war es gewesen, die in vielerlei Hinsicht dafür gesorgt hatte, dass die Abteilung ihren Teil der Zielsetzung erfüllen konnte. Wir, die engste Familie, hatten für das bisschen geistige Anregung gesorgt, die Richardt überhaupt bekommen hatte; wir hatten uns darum bemüht, dass er frische Luft bekam und Bewegung hatte; wir waren es, die ihm die kleinen Freuden bereiteten, und ersparten der Abteilung, noch mehr Aushilfen zu späten Abend- und Nachtstunden einsetzen zu müssen.

War es nicht möglich, gegenüber anderen Angehörigen, anderen zuständigen Ärzten, anderen Abteilungsleitern zu verantworten, dass Richardt weiterhin einen Platz auf der Spezialabteilung bekam? Und zwar deshalb, weil es keine Angebote für einen Mann in seinem Alter gab und die Spezialabteilung somit das beste Angebot war, das für ihn zur Verfügung stand? Man konnte doch nicht einen Kranken von 54 Jahren mit einem von 85 Jahren vergleichen.

Der Unterschied ergab sich von selbst: Richardt war nicht wie seine Mitpatienten natürlich gealtert. Durch seine Krankheit waren ihm bereits 30 Jahre genommen worden. Und doch war er erst 54 Jahre alt.

All dies grub sich in meine Seele. In einem großen Durcheinander, in dem es nur eine Frage gab: »Wohin?«

Im Gesicht der Schwester sah ich Erleichterung – und ein kurzes Aufblitzen von Triumph? Das Ganze verlief wahrscheinlich besser, als sie erhofft hatte; jetzt konnte die Belohnung in Form von Wohlwollen erfolgen. Natürlich sollte nichts überstürzt werden. Sie wollte uns nur darauf vorbereiten, dass wir einer solchen Lösung gegenüberstanden. Selbstverständlich dürften wir Wünsche äußern.

Natürlich würden sie tun, was in ihrer Macht stünde, damit sie unsere Wünsche erfüllen könnten. Wenn wir es gerne wollten, würde sie Termine mit den Leitern der eventuell in Frage kommenden Abteilungen vereinbaren. Uns stünde es frei, jede Abteilung zu besichtigen, wir könnten uns Eindrücke verschaffen und bei Bedarf jederzeit Fragen stellen.

Alles war gut, alles war schön – theoretisch.

Denn die Alternativen, die uns geblieben waren, hatten wir bereits gesehen. Das Pflegeheim war groß, und an Tagen, wo es für einen Spaziergang an der frischen Luft zu kalt gewesen war oder andere Ursachen uns davon abhielten, war uns nur der Gang über die verschiedenen Abteilungen geblieben. Das heißt, die Abteilungen im Pflegeheim, zwischen denen wir nun wählen konnten, hatten wir gerade nicht mehr besucht. Für Richardt war es zu deprimierend, zu beängstigend gewesen, Menschen zu sehen, denen es noch schlechter ging als ihm selbst. Vielleicht spürte er auch die Resignation, die Hoffnungslosigkeit in diesen großen Abteilungen. Ich tat es auf jeden Fall. Und dort sollte also sein Leben enden. Jetzt sollte er zum Sterben abgeschoben werden.

Die Tage vergingen. Einige Gedanken, die mir durch den Kopf gingen, konnte ich ordnen, hatte an sich aber schon den Kampf aufgegeben, da ich wusste, dass ich ihn verlieren würde. Trotz allem war ich mir darüber im Klaren, dass ich aus der Situation, in der wir uns befanden, unbedingt das Beste machen musste.

Es dauerte nicht lange, bis wir das erste »Angebot« erhielten, das uns fast wie ein Geschenk in Form eines Einzelzimmers präsentiert wurde. Wir empfanden es, als müssten wir dafür dankbar sein.

Doch dieses Mal hatten wir uns etwas vorbereitet, hatten einige Abteilungen von vornherein ausgeschlossen und waren zu dem Ergebnis gekommen, dass wir auf die Abteilung, die uns angeboten wurde, auf keinen Fall verlegt werden wollten. Zwar beruhte das nur auf Vermutungen und dem Bauchgefühl nach einigen gelegentlichen Besuchen dort, aber auf etwas anderes konnten wir uns auch gar nicht stützen. Und unsere Ablehnung wurde akzeptiert – bis uns kurz darauf das nächste Angebot unterbreitet wurde. Uns wurde deutlich mitgeteilt, dass sie uns weitere Alternativen nicht versprechen und auch das von uns gewünschte Einzelzimmer nicht mehr garantieren könnten, sofern wir dieses Angebot nicht akzeptierten. Beim nächsten Mal müssten wir dann nehmen, was wir bekämen. Ein Einzelzimmer für einen Mann, der ungefähr 25 Jahre jünger war als der Durchschnitt seiner Mitpatienten, ein Mann, der im Sterben lag und eine Lebenspartnerin hatte, die ihn seit dem Tag seiner Pflegeheimeinweisung begleitet hatte und weiterhin begleiten würde – damit versuchten sie, uns zu locken.

Was wurde aus den Terminen, bei denen ich die Abteilungsleiter treffen sollte? Was wurde aus den Terminen, bei denen ich den früheren und neuen zuständigen Arzt treffen sollte? Was wurde aus all der schönen Theorie?

In einem Punkt mobilisierte ich all meine Kräfte, die ich noch hatte: Als es um den Zeitpunkt von Richardts Verlegung ging.

In fünf Tagen sollte er wieder Besuch von der Blaskapelle bekommen, die zu aller Freude schon im Jahr zuvor ein Konzert gegeben hatte. Dieses Mal kam sie auf eigene Initiative.

Ich bat darum, die Verlegung auf den Tag nach dem Konzert zu verschieben, weil ich nicht wusste, wie sich der Umzug auf Richardt auswirken würde. Außerdem wusste ich nie, in welcher Verfassung er an dem jeweiligen Tag war. Hinzu kam, dass Richardts Zimmer jetzt im Erdgeschoss lag mit dem Fenster zu dem Platz hin, auf dem die Kapelle Aufstellung nehmen würde. Sein neues Zimmer hingegen sollte zwei Etagen höher liegen mit dem Fenster zur Rückseite des Gebäudes.

Mit Tränen in den Augen wandte ich mich wegen der Verlegung an die Abteilungsleiterin, die mich an den Arzt verwies.

Ich konnte ein verräterisches Schluchzen nicht unterdrücken, als ich den Arzt anflehte, der der Pflegeheimleitung die Schuld gab.

Im Büro der Oberschwester liefen mir die Tränen über die Wangen, doch meine Bitte wurde mir abgeschlagen. Grund: Sie konnten es der Gemeinde gegenüber nicht vertreten, ein Einzelzimmer fünf Tage lang leer stehen zu lassen.

Der Besuch der Blaskapelle war ein Erfolg, es war jedoch nicht das Verdienst der Pflegeheimleitung gewesen.

Richardts altes Einzelzimmer, aus dem er verlegt wurde, bevor die Kapelle kam, stand zehn Tage lang leer. Auf meine Frage hin, wie sie dies verantworten könnten, wurde mir mit ausweichenden Blicken begegnet und eine Erklärung gemurmelt, dass der nächste Bewohner eine Übergangszeit benötigt hätte.

Es war ein schöner, aber auch anstrengender Tag gewesen, als die Blaskapelle zu Besuch kam; nicht nur für Richardt, sondern auch für mich und die meisten Patienten und Angestellten und den engsten Familienkreis, der nach wie vor ein Teil seines Lebens war. Auch dieses Mal deckten wir wieder eine Kaffeetafel. Richardt saß im Rollstuhl, und es schien, als würde er versuchen, das Geschehen um ihn herum zu registrieren, ohne dass ich mit Sicherheit sagen konnte, ob er jemanden erkannte oder wusste, weshalb sie da waren. Aber er lächelte, genauso wie in dem Moment, als die schwingenden Rhythmen von »Sing as we go«, der Erkennungsmelodie der Kapelle, über den Platz tönten. Der Besuch brachte noch mehr Positives mit sich. Ich sah unser neues »Zuhause« mit anderen Augen.

»Das werden wir schon hinbekommen, selbst wenn wir Sie mit schwarzen Müllsäcken zudecken und im Bett nach draußen schieben müssen«, sagte eine junge, nette Schwester zu Richardt, nachdem ich ihr gegenüber meine Bedenken geäußert hatte. Sie war eine von drei Schwestern, die nachmittags für dreißig stark pflegebedürftige Patienten verantwortlich war. Was sie sagte, meinte sie wohl auch so, trotz des Verbots von Betten im Freien. Aber glücklicherweise mussten wir davon doch keinen Gebrauch machen.

Die Medikamente, die Richardt bekam, machten ihn steif und unbeweglich. Er konnte nur schwer sitzen, doch die Schwester borgte sich einen Rollstuhl aus, den man zurückklappen konnte. Gemeinsam schafften wir es, Richardt warm anzuziehen, sodass er nicht frieren musste.

Es war ein kalter Vorsommertag, Regen hing in der Luft. Doch der Enthusiasmus und die Stimmung im Haus gaben mir ein Gefühl von Sommerwärme.

Und die brauchten wir. Durch Kommentare oder vielleicht auch eher durch Mangel an Kommentaren wurde mir bewusst, dass die Entscheidung hinsichtlich Richardts Verlegung für Diskussionen gesorgt hatte. Es gab auffallend viele ausweichende Antworten und Blicke, als ich einige Tage vor der Verlegung dieses Thema zur Sprache gebracht hatte. Die Schwestern, mit denen ich früher ein relativ enges Verhältnis gehabt hatte, waren plötzlich sehr beschäftigt, wenn ich mit ihnen ins Gespräch kommen wollte. Und ich konnte nicht umhin, mir darüber meine Gedanken zu machen, worauf diese Entscheidung basieren würde.

Bittere Gedanken.

Die Verlegung an sich wurde ein traumatisches Erlebnis, vielleicht als Folge der gesamten problematischen Umstände. Ich hatte mich früh entschieden, dass ich auf keinen Fall für die praktischen Belange Verantwortung übernehmen wollte. So leicht wollte ich es ihnen nicht machen. Ich hatte nicht um die Verlegung gebeten; es war ihr Vorschlag gewesen, ihre Forderung, und dann sollten sie auch selbst die praktischen Dinge regeln. Mein Beitrag sollte sein, mich um Richardt zu kümmern, diesen hilflosen, kranken Mann, meinen Liebsten. Ich ging davon aus, dass der Tag für ihn schwer genug sein würde, und letztendlich war Richardt am wichtigsten.

»Wissen Sie, wann er verlegt werden soll?« Es war Sonntag, wie immer waren nur Aushilfen anwesend, und ich hatte mir diejenige gegriffen, die meiner Meinung nach mit der Abteilung am besten vertraut war. Natürlich wusste sie es nicht, es machte auch nicht den Anschein, als ob überhaupt irgendjemand Bescheid wüsste. »Wissen Sie, ob jemand mit ihm über die Verlegung gesprochen hat?« Nein, auch das wusste sie nicht. Mir war durchaus bewusst, dass ich jetzt ungerecht war, denn hierfür war nicht sie verantwortlich. Doch ich hatte erwartet, dass jemand Kontakt mit mir aufgenommen hätte. Geschah dies nicht, konnte ich nicht einfach die Hände in den Schoß legen und abwarten.

»Wissen Sie denn, ob heute irgendetwas Besonderes vorgefallen ist? Er weint mehr als sonst.« So war es wirklich. Richardt hatte in der letzten Zeit viel geweint, aber heute war es anders. Es war ein schmerzerfülltes, heftigeres Weinen. Er selbst war nicht mehr in der Lage, durch Worte mitzuteilen, was ihn bedrückte.

Doch die Schwester konnte mir hierauf keine Antwort geben. Auf meine Bitte hin, die anderen Dienst habenden Schwestern zu fragen, sah sie mich etwas resigniert an, ging aber, um sich zu erkundigen.

Wie sich herausstellte, sollte am Montag die Verlegung stattfinden. Keines meiner stummen Gebete war erhört worden. Auch nicht die lauten. Es waren mir immer noch keine Einzelheiten über das Praktische mitgeteilt worden. Ich rief morgens die Abteilungsleiterin an, die allerdings auf einer Sitzung war; niemand weiter konnte mir sonst eine Auskunft erteilen. Mir wurde versprochen, dass man mit mir Kontakt aufnehmen würde. Im Laufe des Vormittags rief man mich an, um mir mitzuteilen, dass Richardt nach dem Mittagessen am späten Nachmittag verlegt werden sollte. Würde ich kommen? Ich dankte für die Benachrichtigung, beantwortete die Frage mit Ja, ohne jedoch eine Zeit zu vereinbaren.

Als ich kam, saß Richardt allein in seinem Stuhl und war in Tränen aufgelöst. Bei meinem Anblick versuchte er, durch seine Tränen hindurch ein wenig zu lächeln, doch mehr Kontakt bekam ich nicht zu ihm.

Die einzige Veränderung, die ich erkennen konnte, war, dass sein Bett, ein neues technisches Wunder, das er erst kürzlich bekommen hatte, gegen ein gewöhnliches Krankenhausbett ausgetauscht worden war. Ansonsten stand alles dort, wo es immer stand. Ja, ja, wahrscheinlich hatten sie Richardt nicht beunruhigen wollen und seine Dinge und Möbel deshalb nicht schon entfernt, bevor er nicht selbst auf die andere Abteilung verlegt worden war. Denn abgesehen vom Bett hatte er nur private Dinge in seinem Zimmer.

»Ach, Sie sind schon da?« Ich hatte erwartet, dass Richardts Bezugsschwester anwesend sein würde. Er fühlte sich ihr sehr verbunden, neben den engsten Familienangehörigen war sie eine der wenigen, zu der er noch eine Beziehung hatte. Jetzt kam allerdings eine Schwester mit einem Rollstuhl herein, die Richardt nicht so nahe stand: »Ja, dann wollen wir mal.«

Und so geschah es auch. Aus der Abteilung raus, in den Fahrstuhl rein, aus dem Fahrstuhl raus und dann über den Flur bis dorthin, wo sein »Zuhause« von nun an sein sollte. Vor der Tür zum Schwesternzimmer wurde er abgestellt. Hier steckte die Schwester ihren Kopf durch die Tür, um sich zu vergewissern, dass jemand ihn übernehmen würde. Dann drehte sie sich zu uns um, verabschiedete sich – und ging.

Richardt war verlegt worden.

Die Paketsendung, die aus ihm, mir und einer Grünpflanze bestand, war dem Empfänger übergeben worden – ohne Quittung. Die Schwester, die übernahm, grüßte freundlich, schob den Rollstuhl um die Ecke in ein Zimmer, das mit Richardts ehemaligem Zimmer vergleichbar war – und ging.

Ein Krankenhausbett. Ein Sessel. Ein kahles Zimmer. Die Pflanze belebte es ein wenig.

Was tut man, wenn es niemanden weiter gibt, der die praktischen Aufgaben in die Hand nimmt? Man tut es selbst.

Ich packte Richardts Dinge also ein und wieder aus und brachte seine Möbel, Kleidung und persönlichen Dinge zu ihm ins neue Zimmer. Einen Packen nach dem anderen, den Fahrstuhl hinauf und wieder hinunter. Kam ich aus dem Fahrstuhl, hörte ich jedes Mal Richardts Angstschreie. Erneut hatte seine Angst überhand genommen, weil er allein in einem Umfeld saß, das er nicht kannte, und nur verstand, dass ich ihn immerzu verließ.

»Heute haben Sie aber so einiges um die Ohren«, sagte die Schwester zu mir, der ich vor dem Schwesternzimmer begegnete.

»Ja, bedeutend mehr, als ich gedacht hatte«, antwortete ich ziemlich spitz. Sie lächelte – und ging.

»Warum hast du uns nicht um Hilfe gebeten?« fragten mich Freunde und Familie, als ich ihnen die Geschichte erzählte. Ja, warum hatte ich es nicht getan? Weil ich einfach nicht glauben konnte, dass es so kommen würde. Ich konnte mir einfach nicht vorstellen, dass das Pflegeheim diese Situation so schlecht im Griff haben würde. War ich zu naiv gewesen, als ich annahm, dass es für sie eigentlich Routine sei? Ja, ich war es wohl. Mit meiner bisherigen Erfahrung hätte ich wissen müssen: Hörte man nicht auf mich, handelte man nach eigenem Ermessen.

Auf Umwegen erfuhr ich später, dass die Abteilung für den Tag von Richardts Verlegung extra eine Aushilfe eingestellt hatte. Wo war sie gewesen? Die Bezugsschwester hatte angeboten, ihren Dienst zu tauschen, um bei der Verlegung dabei zu sein. Dies war abgelehnt worden.

»Glauben Sie, dass er sich hinlegen möchte?« fragte die Schwester, die hereinkam, um uns zu begrüßen.

Nachdem ich einen Blick auf das harte Bett geworfen hatte, zuckte ich mit den Schultern: »Ich weiß es nicht, Sie können ihn ja fragen, aber das Bett sieht nicht sehr verlockend aus.«

Einen Moment sah sie mich verdutzt an. Dann wandte sie sich an Richardt und reichte ihm ihre Hand, so als würde sie ihn stützen wollen.

»Er kann nicht aufstehen, er kann nicht stehen, er kann auch nicht gehen«, sagte ich zu ihr. Wurden denn keine Krankenakten gelesen?

»Vielleicht könnten Sie hier anfassen, sodass wir ihn in den anderen Stuhl setzen können«, meinte die Schwester.

»Nein«, erwiderte ich, während sie jetzt ein sehr verdutztes Gesicht machte. Aber um Richardt aus dem Rollstuhl zu bekommen und ihn dann in den anderen zu setzen, hätte ich fast ein Schlangenmensch sein müssen. Das Zimmer war klein, und der Rollstuhl war ungünstig platziert. Außerdem befand sich die Schwester selbst auf der »einfacheren« Seite.

Nachdem sie mir einen langen Blick zugeworfen hatte, verließ sie das Zimmer und kam kurz darauf mit einer anderen Schwester und einer Hebevorrichtung zurück. Nicht gerade ein guter Anfang.

Richardts neues technisches Wunderbett sahen wir nie wieder. Wie wir erfuhren, gehörte es der Abteilung, von der er verlegt worden war, obwohl sie es für ihn angeschafft hatten. Die Silikonmatratze, an die er gewöhnt war, hatten sie wieder im Lager des Pflegeheims abgegeben. Das war Routine. Geblieben war uns ein Krankenhausbett in einfacher Ausführung mit einer Matratze, die so hart war, dass es nicht einmal angenehm war, darauf zu sitzen. Eine neue Silikonmatratze konnten wir erst am nächsten Tag bekommen, weil das Lager schon um dreizehn Uhr schloss. Aber wenn ich die Matratze selbst holen könnte …

Das konnte ich und tat es auch. Nun bestand das Problem allerdings darin, dass die Schwestern bereits Richardts Bett gemacht hatten – ohne Silikonmatratze. Ich sagte nichts, ich *guckte* nur. Ohne weitere Kommentare wurde das Bett neu bezogen.

Waren wir nach wie vor im gleichen Stadtteil? Im gleichen Pflegeheim? Unter dem gleichen Leiter der Einrichtung? Ja, wir waren es, auch wenn man es nicht für möglich halten konnte. All die schönen Worte über die Zusammenarbeit zwischen den Abteilungen erwiesen sich als unwahr. Niemand von der alten Abteilung kam zu uns nach oben, um sich zu erkundigen, wie es uns an diesem ersten Tag ging, obwohl ich darum gebeten hatte, die Abteilungsleiterin zu sprechen. Die neue Abteilungsleiterin traf ich erst nach einigen Tagen, während wir den Arzt gar nicht zu Gesicht bekamen, obwohl er genau zum Zeitpunkt von Richardts Verlegung seinen Besuchstag hatte. Es schien nicht einmal so, als ob jemand seine Krankenakte gelesen hätte. Zwar kannten ihn alle, obwohl das Pflegeheim groß war. Wenn es das Ziel gab, in einem Pflegeheim bekannt zu werden, dann hatte er es dazu gebracht. Doch über seine Krankengeschichte und all die Dinge, die für das Personal von Bedeutung hätten sein müssen, da sie die Pflege von nun an übernehmen sollten, wussten sie wenig.

Für eine Sache war ich dankbar: Dafür, dass das Ganze nicht zwei Monate früher geschehen war. In einer Zeit, in der ich seelisch auf einem solchen Tiefpunkt war und genug Schwierigkeiten mit mir selbst hatte. Jetzt aber würde ich es schaffen. Dank intensiver Unterstützung durch meinen Arzt und meine Psychologin war ich langsam wieder aus dem Tief heraus und spürte, dass ich momentan genug Kraft für Richardt und mich hatte.

Ach, Richardt, auch hiervon lassen wir uns nicht erschüttern!

Die Stimmen der kleinen Gruppe, die vor Richardts Tür saß, konnten wir bis in sein Zimmer hören. Es waren drei alte Damen, die schon ein langes Leben hinter sich hatten. Das Mittagessen war vorüber, und nun saßen sie dort bei ihrer Tasse Kaffee. Zwei von ihnen hatten mich angelächelt und mir zugenickt, als ich an ihnen vorbeigegangen war; die dritte war eher in ihrer eigenen Welt versunken. Eine von ihnen saß im Rollstuhl, während die anderen beiden in ihrem Sessel saßen, ihren Gehwagen in greifbarer Nähe. Ich konnte nicht umhin, dem Gespräch zu folgen. Richardt war eingeschlafen, um mich herum war es still, und die Stimmen der Frauen hörte man deutlich bis ins Zimmer:

»Jetzt habe ich von dieser Irrenanstalt bald genug«, hörte ich und verstand, dass die dritte Mitpatientin gemeint war, die ununterbrochen redete, ohne dass es einen Sinn ergab. »Wenn dies nicht aufhört, fahre ich lieber nach Hause.« Ganz normal war diese Frau also auch nicht, aber immerhin konnte sie ein zwangloses Gespräch am Laufen halten.

»Ich bin müde. Wie gerne würde ich mich ein wenig hinlegen.« Dieser Wunsch wurde nach einer Weile von der anderen Mitpatientin geäußert. »Aber mir muss jemand helfen, und Sie wissen ja, wie schwierig das ist.« Ich vermutete, dass es die Frau im Rollstuhl war. »Ich kann Ihnen helfen und versuchen, jemanden herbeizuholen«, schlug Erstere vor, und ich hörte ihre Versuche, auf sich aufmerksam zu machen: »Schwester, Schwester!« Aber keine Reaktion.

Und dann etwas lauter: »Schwester!«

Ich hörte, wie beide abwechselnd allein und gemeinsam riefen. Ihre Stimmen wurden lauter, doch noch immer wurde nicht darauf reagiert.

Dann war es lange still. Hatten sie aufgegeben?

Aber nein, sie sammelten wahrscheinlich nur ihre Kräfte – und fanden eine Lösung: »Schreien Sie, dann kommen sie bestimmt«, meinte Erstere erneut.

Und so tat es die andere Frau. Sie schrie genauso, wie eine müde und verzweifelte alte Frau schreien konnte, einfach nur, weil sie ihren Mittagsschlaf halten wollte.

Wie erniedrigend! Wie grausam!

Als ich nach einiger Zeit an der Frau vorbeikam, schlief sie im Rollstuhl, mit dem Kinn auf der Brust.

Eine Woche später. In unser Zimmer drangen Schreie und Rufe vom Flur her. Zuerst versuchte ich, sie zu überhören, stellte das Radio etwas lauter und sprach etwas lauter, doch mit zunehmender Intensität der Schreie und Rufe, die immer beängstigender wurden, war es nicht mehr möglich, sie zu überhören. Wie nahm Richardt dies auf? Das Ergebnis ließ nicht lange auf sich warten: Er blickte mit wachsamen Augen, seine Hände begannen, sich zu bewegen, sein Körper erstarrte. »Das ist nichts Schlimmes, Liebster, jemand will nur nicht baden.« Sehr viel Trost gab ihm dies wahrscheinlich nicht, denn mit dem Wort »baden« verband auch er nichts Angenehmes. Ich wusste, dass die Schwestern in dieser Beziehung Probleme mit Richardt hatten. Einige Male hatten sie mit mir darüber gesprochen, aber ich konnte nur erahnen, weshalb er sich so sehr widersetzte. Zu Hause war er daran gewöhnt, gebadet zu werden, Hilfe zu bekommen. Allerdings fror er sehr leicht, und ich musste rechtzeitig vor dem Bad alle Heizkörper aufdrehen. Außerdem musste es schnell gehen. Ein nasser Körper wurde sowieso schnell kalt, und mager, wie er war, und mit einem schlechten Kreislauf fror Richardt noch schneller. Ich versuchte deshalb, dies zu besprechen, war mir aber noch immer nicht ganz sicher, ob sie mich verstanden.

Aber diese Schreie und Rufe, die wir jetzt hörten ... Das war kein Protest, das war Angst. Unter den Stimmen vernahm ich auch eine Männerstimme und begriff plötzlich, worum es ging.

Die Abteilung hatte eine Aushilfe eingestellt, einen Mann dunkler Hautfarbe, der nur schlecht Norwegisch sprach. Für die Abteilung war es von Vorteil, einen starken Mann zu haben, der die Bewohner vor dem Baden auszog. Doch seitens der Bewohner ... In diesem Fall war es eine ungefähr 80-jährige Frau, die in einer Zeit groß geworden war, in der man sich nie in Gegenwart von fremden Personen entkleidete. Jetzt war dieser fremde Mann, der zudem »anders« aussah und sich nicht richtig verständlich machen konnte, dabei, sie auszuziehen, ohne dass sie wahrscheinlich wusste, warum. Wer konnte außerdem wissen, was sie einst durchlebt hatte? Welche Erinnerungen in ihr geweckt wurden?

Baden musste sie hin und wieder, natürlich verstand ich das – aber nicht so …

KAPITEL 9

Meine Pflicht ist, Leben zu retten.

»Heute sind wir ein Stück über den Flur gegangen«, sagte die Schwester voller Stolz, den sie nur schlecht verbergen konnte. Wir begegneten uns in der Tür zu Richardts Zimmer, als sie dabei war, einen Gehwagen auf den Flur zu schieben. »Und Sie hatten doch gesagt, dass er seine Beine nicht mehr bewegen kann!«

War es Stolz und eine Spur von Vorwurf? Oder war nur ich es, die es so auffasste, die in die Defensive ging, die Stacheln ausfuhr, bevor ich überhaupt wusste, was gemeint war, und dabei auf dem Wege war, das Wichtigste zu vergessen – das, worum es eigentlich ging? Nämlich meinem Liebsten das Leben so angenehm wie möglich zu machen.

Aber wen meinte die Schwester eigentlich? Wer waren »wir«?

Wie sich herausstellte, hatten sie bemerkt, dass Richardt seine Beine bewegen konnte – rechts, links, rechts, links –, als sie ihn auf dem Weg vom Bett zum Stuhl zwischen sich hielten. Daraufhin hatten sie entschieden, es mit dem Gehwagen zu versuchen, dieser Gehhilfe, über die er sich beugen und darauf stützen konnte, während er sie vor sich herschob.

Zwar war Richardt danach erschöpft gewesen, hatte aber gezeigt, dass er sich über die Bewegung freute. Er hatte gelacht, vor allen Dingen, als er eine Weile in der offenen Terrassentür stand. Wie ich erfuhr, war er keineswegs so steif, wie es zuerst den Anschein hatte. Daher schlugen sie vor, dass eine Physiotherapeutin kommen sollte, um seine wenig beanspruchte Muskulatur wieder aufzubauen.

Eine Woche lang hatte Richardt im Stuhl am Fenster gesessen, sein Leben bestand darin, vom Bett zum Stuhl und vom Stuhl zum Bett bewegt zu werden. Seine Unruhe hatte zugenommen, glücklicherweise war seine Angst nicht mehr so groß, doch seine verbale Unruhe war stärker geworden. Ich dachte, es käme vielleicht doch von den Veränderungen. Vielleicht würde er trotz der hohen Dosis Antidepressiva und Beruhigungsmittel mehr mitbekommen, als ich mir vorstellen konnte.

Ich sprach darüber mit der Leiterin der Abteilung, von der Richardt verlegt worden war. Ob sie etwas zur Ursache dieser Veränderung sagen könne? Lag es an uns, weil wir uns daran gewöhnt hatten, Richardt so steif und unbeweglich zu sehen, und wir es als gegeben hinnahmen, dass er auf keine Veränderung mehr reagierte?

Aber nein, es gab eine ganz natürliche Erklärung hierfür, bekam ich zu hören. Richardts Medikamente waren abgesetzt worden, die Medikamente, die ihm die Unruhe und die Angst nahmen, aber dazu führten, dass er steif wurde. Das wiederum war die Ursache dafür gewesen, dass er das Angebot auf seiner »alten« Abteilung nicht ausreichend hatte nutzen können. Er brauchte zu viel Pflege, zu viel Hilfe. Die Reaktionen auf das Absetzen der Medikamente kamen normalerweise nach etwa vierzehn Tagen, sagte mir die Schwester, und bereits eine Woche vor der Verlegung hatte Richardt keine Medikamente mehr bekommen.

Als ich die Abteilungsleiterin daraufhin fragte, wann und wieso diese Entscheidung getroffen worden war und weshalb man mich hierüber nicht informiert hatte, wich sie meinem Blick aus. Eine richtige Antwort blieb sie mir schuldig.

Ich hatte mich damit getröstet, dass Richardt seine Verlegung verkraften würde, denn ich ging davon aus, dass ihm starke Medikamente, die schon fast die Grenze des Akzeptablen überschritten, verabreicht wurden. Da ich die Qualen, die ihm die Angst bereiteten, nicht mehr ertragen konnte, hatte ich dies erkämpft – so dachte ich jedenfalls. Und schließlich, nach einem langen Kampf und viel Überredung, hatte ich mich durchsetzen können. Zumindest bis kurz vor Richardts Verlegung.

Ich hatte nicht nur mit dem Arzt gekämpft. Es war auch ein Kampf mit mir selbst gewesen, weil ich wusste, was Richardt genommen und wie »flach« sein Leben dadurch wurde. Aber ich hatte zwischen zwei schrecklichen Möglichkeiten abgewogen und mich entschieden.

Der Trost, an den ich mich geklammert hatte, war verschwunden. Ebenso wie meine Hoffnung, dass er sich nicht zu sehr quälen und in der neuen Umgebung nicht zu unsicher und ängstlich sein würde. Geschwunden war auch meine Hoffnung, dass er nicht so viel von dem begriff, was um ihn herum und mit ihm selbst geschah. Mit der verlorenen Hoffnung kam das Gefühl auf, verraten worden zu sein. Es war Verrat, weil bei dieser Entscheidung, die über meinen Kopf hinweg getroffen worden war, niemand Rücksicht auf Richardt genommen hatte. Verrat war es auch, weil man mich noch immer nicht bei solch wichtigen Entscheidungen mit einbezogen hatte.

Jetzt hatte ich auf jeden Fall eine Erklärung dafür, weshalb seine Unruhe zugenommen hatte.

Meine Hoffnung, dass die Verlegung für Richardt nicht so viel bedeuten und er davon nur wenig mitbekommen würde, erwies sich als trügerisch. Ich traf eines Tages seine Bezugsschwester von der geschützten Abteilung und konnte mir die Bemerkung nicht verkneifen, dass ich davon ausgegangen war, dass jemand ihn mit auf die neue Abteilung begleitet und dafür gesorgt hätte, dass er einen »sanften Übergang« bekam. Ich sah, wie unangenehm es ihr war, als sie erwiderte: »Es tut mir wirklich Leid, aber er weinte so viel, als ich ihn besuchte, und ich konnte ihn einfach nicht beruhigen. Mehr als dieses eine Mal war ich daher nicht bei ihm gewesen.« Dies war dir also auch nicht erspart geblieben, mein Liebster.

Mit der Unruhe konnte man leben, und Richardt blühte wirklich ein wenig auf. Einer Schwester gegenüber äußerte ich, dass die Entscheidung, ihm keine Medikamente mehr zu verabreichen, möglicherweise richtig gewesen war, obwohl sie den falschen Zeitpunkt dafür gewählt hatten und das Absetzen zu schnell gegangen war. Zuerst sah sie mich an und erklärte mir dann lang und breit, dass es fast immer für die Patienten von Vorteil war, auf diese Abteilung verlegt zu werden. In unserem Fall war sie allerdings nicht so sicher gewesen.

Ach so? Es ließ sich nicht vermeiden, dass ich die gesamte interne Geschichte über Diskussionen und Entscheidungen zu hören bekam, bei denen es um uns gegangen war. Verleumdungen und Intrigen – war es wichtig, sich den Rücken freizuhalten? Bevor ich die Schwester bitten konnte, nicht weiter ins Detail zu gehen, erzählte sie mir, dass sie auf mehreren Versammlungen gewesen war, auf denen das weitere Vorgehen besprochen wurde. Unter anderem erzählte sie mir, dass sie deutlich zum Ausdruck gebracht hatte, dass eine Verlegung ihrer Meinung nach moralisch verwerflich sei. Dass Richardt in dem Umfeld bleiben müsse, das er kannte, insbesondere auch deshalb, weil er sehr krank sei und er aufgrund seines Alters eigentlich eine Sonderbehandlung bekommen müsse. »Ich konnte sie überhaupt nicht dazu bringen, auf diese Argumente zu hören, es schien so, als ob sie sich schon entschieden hätten und die Verlegung unbedingt durchgeführt werden sollte«, sagte die Schwester. »Ich glaube, jemand aus dem Pflegeheimpersonal stand dahinter.«

Ich hätte solche Details nicht erfahren dürfen und musste zugeben, dass es besser war, über einzelne Dinge nicht Bescheid zu wissen. Dies gab nur den Nährboden für schmerzvolle Gedanken über die eigentliche Ursache der Verlegung. War Richardt – oder vielleicht sogar ich – zu einem Problem geworden, das sie loswerden wollten, indem sie uns in einen anderen Teil des Pflegeheims verlegten? Die Abteilungen, die uns angeboten worden waren, gehörten beide zu einem anderen Arzt, einer anderen Oberschwester, einer anderen Verwaltung. Oder hatte sich das Personal geweigert, Richardt auf seiner Abteilung zu behalten, weil er ein schwer zu betreuender Patient war? Ich wusste, dass viele, die sich um eine Anstellung auf der Abteilung für Personen mit Demenz bewarben – oder auf der geschützten Abteilung, wie es hieß –, es genau aus dem Grund taten, dass die körperliche Arbeit dort nicht so schwer war wie auf den anderen Abteilungen.

Ein Gedanke folgte dem anderen. Was war die Ursache dafür gewesen, dass die Medikamente vor der Verlegung abgesetzt worden waren? Die Dosis Beruhigungsmittel hatte die Höchstgrenze erreicht oder war vielleicht schon ein wenig über dem, was vertretbar war. Das war mir durchaus bekannt, weil ich selbst mit dazu beigetragen hatte, dass dies durchgesetzt wurde. Ich hatte mich sehr dafür einsetzen müssen. Konnte der behandelnde Arzt seinem Kollegen gegenüber die hohe Dosierung der Medikamente nicht verantworten? Hatte die Rücksicht auf das Personal Vorrang vor der Rücksicht auf den Patienten?

Wie gerne hätte ich mir solche Gedanken erspart!

Die gute Zeit ohne Medikamente dauerte nicht lange, es gab aber noch einige schöne Erinnerungen.

Richardts Zimmerfenster lagen zum Garten hin. Birnen-, Apfel-, Pflaumen- und Kirschbäume wetteiferten darum, uns die Aussicht so schön wie möglich zu machen. Wir konnten die Entwicklung mitverfolgen, vom ersten Grün der Büsche und Bäume bis hin zu ihren Blüten, die den Boden später mit weißen Blütenblättern übersäten. Richardt saß viel im Stuhl am Fenster; obwohl ich nie wusste, ob er noch sah, was draußen geschah, oder verstand, was er sah, sprach ich viel über das Treiben vor seinem Fenster. So gut ich konnte, vermittelte ich ihm meine Eindrücke, während er mit apathischem Gesichtsausdruck dasaß, mit »toten« Augen und teilnahmslosen Blicken, sofern ihn nicht wieder die Unruhe überfiel.

Aber hin und wieder … Wie an dem Tag, als Richardt seine Hand hob, deutlich zu einem erst kürzlich aufgeblühten Apfelbaum zeigte und lächelnd sagte: »Sieh!« Wie konnte eine so kleine Bemerkung nur so gut tun?

Das »neue Leben« brachte Richardt leider nicht viel Freude. Er hatte niemanden, mit dem er sie teilen konnte. Die Schwestern waren überarbeitet, mit den täglichen Aufgaben hatten sie mehr als genug zu tun. Drei Schwestern, die für dreißig schwer pflegebedürftige Patienten zur Nachmittags- und Abendzeit verantwortlich waren, hatten gar nicht die Zeit, sich eingehend mit den Patienten zu beschäftigen. Ebenso fehlte ihnen genügend Zeit zum Füttern. Wahrscheinlich meinte die Schwester, die für sechs, sieben Zimmer auf dem Flur zuständig war, eine gute Lösung gefunden zu haben, vielleicht auch die einzige. Zuerst gab sie ihren zehn Patienten in den Einzel- und Zweibettzimmern den Teller mit dem Abendessen. Danach ging sie erneut die Zimmer ab und steckte jedem Patienten einen Happen in den Mund. War der Happen aufgegessen, war sie auch schon wieder bei ihnen – bis jeder einzelne Patient erneut an der Reihe war.

Weniger »geglückt« war die Situation, als ich eines Tages in der Tür zu Richardts Zimmer stand und einen Pfleger mit dunkler Hautfarbe und schlechtem Norwegisch sah, der versuchte, Richardt eine Frage zu stellen, auf die er eine Antwort haben wollte. Dabei schob er sein Gesicht ganz nah an Richardts Gesicht und wurde bei jedem Versuch immer lauter. Diese Angst, die Richardt ins Gesicht geschrieben stand …

Etwas Freude konnte er allerdings noch immer verspüren: Unser Hund ließ sich nicht so leicht verdrängen. Richardts Lächeln, wenn das kleine, braune Tier auf seinen Schoß sprang, war auch für uns, die es miterlebten, eine Freude. Dachte ich.

»Der muss aber raus«, sagte die Schwester, die in Richardts Zimmer stand, als ich mit unserem Hund zu Besuch kam. Auch sie konnte die Begrüßungszeremonie nicht übersehen. »Hunde sind nicht gestattet.«

»Ich habe die Erlaubnis, ihn mitzubringen«, protestierte ich. Doch daraufhin wurde mir mitgeteilt, dass diese Erlaubnis für die vorherige Abteilung galt und von dieser hier nicht länger erteilt wurde. Hier galt ein Totalverbot. Und die Vorschriften mussten eingehalten werden.

Die Freude meines Liebsten, der sich an vielem nicht mehr erfreuen konnte, schien vollkommen uninteressant zu sein. Und was war mit all den Patienten, an denen wir auf unserem Weg vom Fahrstuhl zu Richardts Zimmer vorbeigingen, in deren Gesicht wieder Leben kam, die ihre steifen Rücken und schmerzenden Knie beugten, um den Hund zu streicheln und zu liebkosen? Vielleicht waren einige Allergiker unter ihnen. Uns musste nur gesagt werden, wen es betraf, und dann konnten wir diese Personen meiden.

Doch es wurde mein letzter Besuch mit dem Hund. Für diesen Kampf hatte ich einfach keine Kraft mehr.

Wie sich herausstellte, forderte der verbleibende Kampf meine restlichen Kräfte.

»Er ist immer so durstig, wenn ich komme«, sagte sein Sohn. »Glaubst du, dass er genug zu trinken bekommt?«

Ich konnte mir zwar nichts anderes vorstellen, aber ich versprach ihm, es das nächste Mal anzusprechen, wenn ich jemanden traf, den ich daraufhin ansprechen konnte. Wenn nicht, würde ich das Buch benutzen, über das man mit dem Personal ins Gespräch kommen konnte.

Bei der Verlegung war dies eine Sache gewesen, die mich beeindruckte: Dieses grüne Notizbuch mit Richardts Namen, gedacht für Mitteilungen vom Personal an die Angehörigen und umgekehrt, wie ich erfuhr. Was ich zu dem Zeitpunkt allerdings nicht wusste, war, dass es fast die einzige Kommunikationsquelle sein sollte. Jetzt schrieb ich meine Mitteilung in das Buch: »Würden Sie bitte darauf achten, dass Richardt genug zu trinken bekommt. Er hat immer viel Durst, wenn wir kommen.«

Einige Tage später konnte ich die Antwort lesen: »Am Bett steht immer ein Glas Wasser. Wenn wir bei ihm sind, bekommt er immer einen Schluck Wasser.«

Als ich das nächste Mal kam, fehlte allerdings das Glas Wasser.

Auf meine Bemerkung hin wurde mir mitgeteilt, dass dies nur ein Versehen gewesen sei, das jedem einmal passieren kann. Während unserer Besuche achteten wir also darauf, dass Richardt genug zu trinken bekam.

Der kleine Lichtblick, über den wir uns gefreut hatten, seine Beweglichkeit, die er wiedererlangt hatte und seine Freude darüber – all diese Glücksmomente waren nur von kurzer Dauer. Die Krankheit forderte ihren Tribut, Richardt konnte nicht mehr. Sein Kampf war vorbei. Jetzt blieb nur noch das Ende.

Jemand hatte seine Krankenakte gelesen, auch das beigefügte Schreiben, in dem er – und wir, seine engste Familie – darum baten, sein Leben nicht weiter künstlich zu verlängern, wenn die Zeit gekommen war.

»Ich habe dazu kein Recht«, sagte die Krankenschwester, die mit mir Kontakt aufnahm, nachdem es Richardt deutlich schlechter gegangen war und man zu später Abendstunde nach mir schickte. »Aber ich weiß, welchen Standpunkt Sie vertreten. Jetzt bekommt er Antibiotika gegen seine Lungenentzündung, allerdings keine so hohe Dosis, dass er dadurch geheilt werden kann.«

Wie sich herausstellte, war es eine doppelseitige Lungenentzündung.

»Ich wollte nur, dass Sie es wissen.«

Es wurde eine lange und schwere, aber gleichzeitig auch gute Nacht. In dieser Nacht nahmen wir Abschied voneinander, unseren endgültigen Abschied. Ich erinnere mich noch an die Stimmung im Zimmer, an das Licht, die Ruhe, den Frieden. Sah er mich? Wusste er, wer ich war? Konnte ich die Angst, die er hatte, lindern?

Ich weiß es nicht. Aber ich sah seine Tränen, als ich die Musik spielte, die wir beide so liebten – unsere Melodie. Und meinte, ein leichtes Drücken in meiner Hand zu verspüren.

Am nächsten Tag rief ich den Arzt an. Einmal, zweimal. »Seien Sie so nett und bitten ihn, mich zurückzurufen. Es ist wichtig.« Die Sprechstundenhilfe versprach es mir, doch auf den Rückruf wartete ich vergeblich. Nach mehreren Versuchen bekamen wir Kontakt. Um nicht ungerecht zu sein: auch ich war nur schwer zu erreichen, da ich ständig zwischen Zuhause, dem Pflegeheim und den Hochzeitsvorbereitungen meiner Tochter hin und her pendelte. Doch schließlich hatten wir Erfolg.

»Haben Sie denn nicht das Schreiben gelesen, das der Krankenakte beigefügt ist? Wie können Sie ihm Antibiotika geben, wenn Ihnen bekannt ist, dass er so nicht mehr leben möchte? Haben Sie gesehen, was für ein Leben das noch für ihn ist? Ist Ihnen nicht aufgefallen, wie er aussieht, haben Sie nicht sein Leiden gesehen, seine wundgelegenen Stellen? Ist Ihnen nicht aufgefallen, wie abgemagert er ist? Haben Sie ihn nicht gesehen?«

»Meine Pflicht ist, Leben zu retten«, bekam ich zur Antwort. Auf die Frage, welches Leben, antwortete er nicht.

Ach, mein Liebster, sollte dein Wille auch jetzt nichts bedeuten? Sah dich noch immer niemand?

Der Arzt und ich hatten wahrscheinlich keinen weiteren Kontakt mehr, das habe ich bewusst oder unbewusst vergessen. Ich erinnere mich nur daran, dass ich später von einem Arzt angerufen wurde, mit dem ich vorher noch nie etwas zu tun gehabt hatte. Er wollte von mir die Bestätigung haben, dass er es richtig verstanden hätte, dass wir keine lebensverlängernde Medikation für Richardt wünschten. Dies bestätigte ich, und er akzeptierte unseren Wunsch.

Es dauerte zehn Tage. Ein zehntägiger Kampf, an dem ich an jedem einzelnen Tag, in jeder einzelnen Nacht, zu jeder Tages- und Nachtzeit daran erinnert wurde, dass dies meine Entscheidung war. Ich war es, die darauf bestand, Richardt keine weiteren Medikamente zu verabreichen, die sein Leiden verlängern würden. Ich war es, die ihm das Leben absprach. Wusste ich, was ich tat?

»Warum hat er solchen kalten Schweiß?« fragte ich, nachdem ich Richardt die kalten Schweißperlen vom Körper gewischt hatte.

»Er scheidet viel Flüssigkeit aus«, antwortete daraufhin die Schwester.

War auch dies mein Fehler gewesen, hatte ich sein Leben noch weiter verlängert, da ich ihm große Mengen Wasser zu trinken gegeben hatte? Hatte ich ihm weitere unnötige Qualen zugefügt? Würden meine »Fehlgriffe« nie ein Ende nehmen? Warum hatte mir niemand etwas beigebracht oder gesagt?

Inmitten der Hochzeitsvorbereitungen für meine Tochter kämpfte Richardt seinen letzten Kampf. Zum Verlieren verurteilt.

Ich war Mutter und Gastgeberin, ich war Lebensgefährtin und Trauernde. Ein Teil von mir plante und organisierte die Hochzeitsfeier für 40–50 Gäste, der andere Teil von mir bereitete sich auf das Lebensende vor. Mit der rechten Hand schrieb ich Tischkarten, mit der linken Hand versuchte ich, Richardt Kraft zu geben auf seinem letzten Weg.

Der Tag vor der Hochzeit. Der Tisch musste gedeckt, die letzten Vorbereitungen erledigt werden. Ich verließ Richardt deshalb für einige Stunden und vertraute ihn der Schwester der Braut an. Nach zwei Stunden rief sie mich an: »Mama, du musst zurückkommen, es geht ihm sehr schlecht.«

Im Taxi auf dem Weg zu ihm betete ich um Aufschub: »Lieber Gott!« Aber wie konnte ich mich noch immer an Gott wenden? Hatte er uns jemals beigestanden? Ich fühlte mich in jeder Hinsicht verraten.

Im Pflegeheim schlief ich im Stuhl ein, Hand in Hand mit Richardt. »Nur eine halbe Stunde, Liebster.«

Innerhalb von zehn Tagen hatte ich gerade einmal zwölf Stunden geschlafen, die meisten davon im Stuhl am Krankenbett.

☆

Ich hielt kurz inne, als ich mich unserem Haus näherte. In der Einfahrt sah ich, dass eine meiner Töchter das Auto staubsaugte; es war das Hochzeitsauto. Im Haus wartete die morgige Braut mit blanken Nerven, die ihr die bevorstehende Hochzeit machte, und mit dem Bedürfnis, ein letztes Mal umsorgt zu werden. Ich trocknete mir die Tränen, atmete tief durch und nahm mich zusammen. Hier war das Leben – und ich hatte meine Wahl getroffen.

Der Rucksack mit dem schlechten Gewissen wurde noch schwerer.

NACHWORT

Morgendlicher Spaziergang mit dem Hund. Automatisch ging ich den alten Weg. Den gleichen Weg, den ich zum Pflegeheim gegangen war – und plötzlich wünschte ich mir nichts lieber, als dass ich genau dorthin wollte und dass Richardt noch immer da wäre.

Doch dann blieb ich mitten auf dem Weg stehen und dachte: »Wie kann ich es mir überhaupt wünschen, dorthin zu wollen? Wie kann ich mir wünschen, jemanden an diesem Ort zu besuchen, jemanden, der gezwungen war, dort zu leben? Und mit den Qualen kämpfen musste, deren Zeugin ich wurde?«

Wünschte ich mir so etwas wirklich?

Nein, natürlich nicht, aber ich vermisse Richardt. Nicht den Menschen, der er am Ende war. Dies war nicht mehr mein Liebster, ihn gab es schon lange nicht mehr. Aber alles, was vorher war … alles, was noch gewesen wäre.

Jetzt fühle ich nur Leere.

»Jetzt können Sie trauern, jetzt werden Sie von Ihrer Umgebung verstanden. Endlich können Sie Ihre Trauer zeigen«, hieß es in einem Brief, den ich von einer anderen Angehörigen bekommen hatte. Ihr Mann war noch immer im Pflegeheim; sie wusste also, wovon sie sprach. Genauso wie er – der Ehemann, der täglich durch die Abteilung ging, in der seine alzheimerkranke Frau schon vier Jahre lang lebte – und mit Tränen in den Augen ausrief: »Ich verliere meine Frau jeden Tag.«

☆

Stellte ich zu große Forderungen an andere? An Einfühlungsvermögen und Verständnis und an ein Gesellschaftssystem, das nicht funktionierte, wenn man es am meisten brauchte?

Kann ich mir selbst in die Augen sehen und sagen, dass ich mich in einer ähnlichen Situation anders verhalten hätte? Bin ich ein besserer Mensch? Wahrscheinlich nicht. Es tut weh, die eigene Kleinlichkeit zuzugeben, wenn ich mich nicht einmal über eine Fernsehsendung freuen kann, in der über Betreuungsangebote für Krebspatienten am Ende ihres Lebens berichtet wird. Stattdessen wächst die Bitterkeit in mir, weil ich weiß, wie die Endphase im Leben von Patienten aussieht, die von einer Krankheit betroffen sind, die nicht so hoch angesehen ist.

In meinem Innersten habe ich so viele merkwürdige Worte, merkwürdige Gedanken. Mit wem soll ich darüber sprechen? Mit der Psychologin, die immer für mich da ist? Die Zeit, die sie sich für mich nimmt, hat auch einmal ihre Grenzen. Es tut mir unglaublich gut, sie zu haben. Sie war mir eine große Stütze und gab viele Ratschläge zur Krankheit. Sie schlug mir vor, meine Gedanken und Worte über Schmerz und Ärger auf Band zu sprechen.

Wo wäre ich ohne ihre Hilfe gewesen, ohne die Hilfe des Professors, der die Diagnose stellte, besonders bei den praktischen Dingen danach? Oder ohne meinen eigenen Arzt, der den Willen und die Fähigkeit besaß zu verstehen?

Ich weiß es nicht.

Aber ich weiß, dass man über solche Erlebnisse, solche Trauer zwar nie hinwegkommt, sie jedoch überwinden kann. Mit Hilfe.

Weil man muss.

ANHANG

Literaturtipps

Medizinische Grundlagen

Hallauer, Johannes F. / Alexander Kurz (Hg.): Weißbuch Demenz. Versorgungssituation relevanter Demenzerkrankungen in Deutschland. Thieme, Stuttgart 2002.
Das Buch gibt einen kurzen, doch umfassenden Überblick über die Versorgung Demenzkranker in Deutschland: Epidemiologie, ärztliche, pflegerische, soziale Versorgung und Krankheitskosten werden ebenso behandelt wie Wohnformen und Unterstützung der Angehörigen. Der dringende Handlungsbedarf in allen Bereichen wird deutlich gemacht.

Hampel, Harald / Frank Padberg / Hans-Jürgen Möller (Hg.): Alzheimer-Demenz. Klinische Verläufe, diagnostische Möglichkeiten, moderne Therapiestrategien. Wissenschaftliche Verlagsgesellschaft, Stuttgart 2003.
Ausführliche Darstellung von Krankheitsursachen, Diagnose und Behandlung der Alzheimer-Demenz.

Wallesch, Claus-Werner / Hans Förstl (Hg.): Demenzen. Thieme, Stuttgart 2005.
Wie funktioniert das Gedächtnis? Was ist eine Demenz und welche Formen gibt es? Welche diagnostischen und therapeutischen Schritte kann der Hausarzt einleiten und wann ist eine Überweisung zum Spezialisten sinnvoll? Das vorliegende Kompendium bietet Ärzten wie Laien fundierte Antworten.

Literatur zum Umgang mit Demenzkranken und Erfahrungsberichte

Götte, Rose / Edith Lackmann: Alzheimer – was tun? Eine Familie lernt, mit der Krankheit zu leben. Beltz, Weinheim 1999.
Die Autorin entwickelt gemeinsam mit ihrer Familie eigene Konzepte für den Umgang mit ihrer pflegebedürftigen Mutter. Das Ziel ist, Unruhe, Angst und Depression der Kranken zu mindern und sie so weit wie möglich in das Leben der Familie einzubeziehen.

Gümmer, Martina / Joachim Döring / Birgit Frenz: Im Labyrinth des Vergessens. Hilfen für Altersverwirrte und Alzheimerkranke. 3. Aufl. Psychiatrie-Verlag, Bonn 2002.
Ein Ratgeber, der in leicht verständlicher Form auf viele Fragen eingeht, die im Zusammenleben mit Demenzkranken auftauchen: Wie gehe ich mit dem Kranken um? Wie gestalte ich die Umgebung? Wie hole ich mir als Angehöriger selbst Unterstützung?

Kitwood, Tom: Demenz. Der person-zentrierte Ansatz im Umgang mit verwirrten Menschen. 4., unveränd. Aufl. Huber, Bern 2005.
Der Autor zeigt, wie wichtig es ist, Demenzkranke als Personen mit einer Biografie und lebensgeschichtlich geprägten Bedürfnissen wahrzunehmen und die Betreuung danach auszurichten. Das Buch wendet sich in erster Linie an professionell Betreuende.

Klessmann, Edda: Wenn Eltern Kinder werden und doch die Eltern bleiben. Die Doppelbotschaft der Altersdemenz. 5., durchges. u. erg. Aufl. Huber, Bern 2001.
Die Autorin ist betroffene Angehörige, Kinderärztin und Psychotherapeutin. Sie setzt sich differenziert mit der Beziehung zwischen erkrankter Mutter und betreuender Tochter auseinander und beleuchtet bessere Bewältigungsmöglichkeiten der Alzheimer-Krankheit.

Niemann-Mirmehdi, Mechthild / Richard Mahlberg: Alzheimer: Was tun, wenn die Krankheit beginnt? Alles über Diagnose und Therapie. Wie Sie sich auf ein verändertes Leben einstellen. Ein einfühlsamer Ratgeber für Betroffene und Angehörige. MVS Medizinverlage, Stuttgart 2003.
Bei Gedächtnisstörungen sind eine frühe Dianose und ein rechtzeitiger Behandlungsbeginn wichtig. Aus ärztlicher und aus sozialpädagogischer Sicht wird dargestellt, wie Betroffene im frühen Stadium einer Alzheimer-Erkrankung Vorsorgeverfügungen treffen, ihre Familie einbeziehen und sich auf das Leben mit der Krankheit einstellen können.

Tönnies, Inga: Abschied zu Lebzeiten. Wie Angehörige mit Demenzkranken leben. 2. Aufl. Psychiatrie-Verlag, Bonn 2005.
In zehn Interviews mit pflegenden Angehörigen werden die unterschiedliche Gesichter der Krankheit sowie die Belastungen und Bewältigungsstrategien der Angehörigen beschrieben.

Trilling, Angelika / Errollyn Bruce / Sarah Hodgson / Pam Schweitzer: Erinnerungen pflegen. Unterstützung und Entlastung für Pflegende und Menschen mit Demenz. Vincentz, Hannover 2001.
Für Demenzkranke stellen weit zurückliegende Erinnerungen oft die einzige Verbindung zur eigenen Identität dar. Das Buch zeigt, wie Angehörige und Professionelle durch gemeinsamen Rückblick Erinnerungen hervorrufen und dadurch Gespräche und Aktivitäten fördern können.

Adressen

Deutsche Alzheimer Gesellschaft

Die Deutsche Alzheimer Gesellschaft ist der Bundesverband von Alzheimer Landesverbänden sowie von regionalen und örtlichen Gruppen. Sie vertritt die Interessen der Betroffenen und ihrer Familien und arbeitet gemeinnützig. Die Geschäftsstelle befindet sich seit 1997 in Berlin, wo mehrere hauptamtliche Mitarbeiterinnen und Mitarbeiter tätig sind.

Kontakt
Deutsche Alzheimer Gesellschaft e. V.
Friedrichstr. 236, 10969 Berlin
Tel.: 0 30/2 59 37 95-0, Fax: 0 30/2 59 37 95-29
Alzheimer-Telefon: 0 18 03/17 10 17 (9 Cent pro Minute)
E-Mail: info@deutsche-alzheimer.de, www.deutsche-alzheimer.de

Beratung durch das Alzheimer-Telefon
Die Deutsche Alzheimer Gesellschaft, die durch das Bundesministerium für Familie, Senioren, Frauen und Jugend unterstützt wird, bietet ein Alzheimer-Telefon unter der bundeseinheitlichen Rufnummer 0 18 03/17 10 17 an. Anrufer erhalten Informationen, Tipps zum Umgang mit der Krankheit, können sich aussprechen und Broschüren bestellen.

Information durch Broschüren und Internet
Die Deutsche Alzheimer Gesellschaft hat eine Reihe von Broschüren für Angehörige und Pflegende entwickelt, etwa zum Umgang mit schwierigen Verhaltensweisen, zur Pflegeversicherung, zur Versorgung im Pflegeheim, zu rechtlichen und finanziellen Fragen, zum Aufbau von Angehörigen- und Betreuungsgruppen. Vierteljährlich erscheint die Zeitschrift »Alzheimer Info«, die über aktuelle Entwicklungen in Forschung, Versorgung, Selbsthilfe usw. informiert. Über das Internet (www.deutsche-alzheimer.de) sind zahlreiche Informationen und die Adressen der zurzeit 92 regionalen Alzheimer Gesellschaften und mehr als 300 Selbsthilfegruppen zugänglich. Auch eine Beratung per E-Mail und ein Chatforum werden angeboten.

Die Broschüren »Das Wichtigste über die Alzheimer-Krankheit« und »Alzheimer – was kann ich tun?«, die sich an Angehörige von Demenzkranken bzw. an Patientinnen und Patienten im Frühstadium wenden, sind kostenlos und können telefonisch, schriftlich oder per E-Mail bestellt werden.

Kurse für Angehörige: »Hilfe beim Helfen«
Die Deutsche Alzheimer Gesellschaft hat zusammen mit der Fa. Janssen-Cilag die Schulungsreihe »Hilfe beim Helfen« entwickelt. In den Kursen,

die mit Unterstützung der Barmer Ersatzkasse durchgeführt werden, wird Angehörigen Wissen über Demenzerkrankungen, den Umgang mit den Kranken, professionelle Unterstützungsmöglichkeiten, Pflegeversicherung usw. vermittelt.

Weitere hilfreiche Adressen in Deutschland

Alzheimer Angehörigen-Initiative e. V.
Reinickendorfer Str. 61, 13347 Berlin
Tel: 0 30/47 37 89 95, Fax: 0 30/47 37 89 97
E-Mail: aai@alzheimerforum.de, www.alzheimerforum.de/aai/aai.html

Bundesarbeitsgemeinschaft Selbsthilfe e. V.
Kirchfeldstr. 149, 40215 Düsseldorf
Tel.: 02 11/3 10 06-0, Fax.: 02 11/3 10 06-48, www.bag-selbsthilfe.de

Demenz Support Stuttgart
Zentrum für Informationstransfer
Dr. Gabriele Kreutzner
Hölderlinstr. 4, 70174 Stuttgart
Tel.: 07 11/9 97 87 10, Fax: 07 11/9 97 87 29
E-Mail: redaktion@demenz-support.de, www.demenz-support.de

Deutsche Expertengruppe Dementenbetreuung e. V.
Rakower Weg 1, 24354 Rieseby
Tel.: 0 43 55/18 11 24, Fax: 0 43 55/1 812 99
E-Mail: info@demenz-ded.de, www.demenz-ded.de

Kompetenznetz Demenzen e. V.
Prof. Dr. Dr. Fritz A. Henn
Zentralinstitut für Seelische Gesundheit
J 5, 68159 Mannheim
Tel.: 06 21/17 03 20 02, Fax: 06 21/17 03 20 05
E-Mail: henn@zi-mannheim.de

Kuratorium Deutsche Altershilfe
Wilhelmine-Lübke-Stiftung e. V.
Schirmherr: Bundespräsident Horst Köhler
An der Pauluskirche 3, 50677 Köln
Tel.: 02 21/93 18 47-0, Fax: 02 21/93 18 47-6
E-Mail: info@kda.de, www.kda.de

NAKOS – Nationale Kontakt- und Informationsstelle zur Anregung und Unterstützung von Selbsthilfegruppen
Wilmersdorfer Str. 39, 10627 Berlin
Tel.: 0 30/31 01 89 60, Fax: 0 30/31 01 89 70
E-Mail: selbsthilfe@nakos.de, www.nakos.de